As Cruzadas

THOMAS ASBRIDGE

A Reação do
Islã

São Paulo, 2021

A reação do Islã
The Crusades – The War for the Holy Land
Copyright © Thomas Asbridge, 2010
Copyright © 2021 by Novo Século Editora Ltda.

EDITOR: Luiz Vasconcelos
COORDENAÇÃO EDITORIAL: Nair Ferraz • Vitor Donofrio • João Paulo Putini
TRADUÇÃO: Johann Heyss • Valter Lellis Siqueira
PREPARAÇÃO: Samuel Vidilli
REVISÃO: Agnaldo Alves • Equipe NS
DIAGRAMAÇÃO: Vitor Donofrio
CAPA: Ygor Moretti

Texto de acordo com as normas do Novo Acordo Ortográfico
da Língua Portuguesa (1990), em vigor desde 1º de janeiro de 2009

Dados Internacionais de Catalogação na Publicação (CIP)
Angélica Ilacqua CRB-8/7057

Asbridge, Thomas
A reação do Islã
Thomas Asbridge ; tradução de Johann Heyss, Valter Lellis Siqueira
Barueri, SP: Novo Século Editora, 2021.
160 p.; il. (As Cruzadas ; vol 2)

Bibliografia
ISBN 978-65-5561-288-2

Título Original: The Crusades : The War for the Holy Land

1. Cruzadas 2. Cristianismo e outras religiões 3. História da Igreja - 600-1500 – Idade Média 4. Oriente Médio – História 5. Europa – História da Igreja I. Título II. Heyss, Johann III. Siqueira, Valter Lellis IV. Série

21-3677   CDD-909.07

Índice para catálogo sistemático:
1. Cruzadas

Alameda Araguaia, 2190 – Bloco A – 11º andar – Conjunto 1111
CEP 06455-000 – Alphaville Industrial, Barueri – SP – Brasil
Tel.: (11) 3699-7107 | Fax: (11) 3699-7323
www.gruponovoseculo.com.br | atendimento@gruponovoseculo.com.br

II. A REAÇÃO DO ISLÃ

SUMÁRIO

II. A REAÇÃO DO ISLÃ
7 O renascimento muçulmano **7**
8 A luz da fé **21**
9 A riqueza do Egito **49**
10 Herdeiro ou usurpador? **69**
11 O sultão do Islã **99**
12 O guerreiro santo **119**

NOTAS **147**

7. O RENASCIMENTO MUÇULMANO

O meio século entre o advento da Primeira Cruzada e a Segunda viu poucos sinais de uma reação islâmica unida ou determinada contra a conquista cristã da Terra Santa. Jerusalém – a cidade mais sagrada do mundo muçulmano depois de Meca e Medina – permanecia em mãos latinas, assim como a divisão elementar entre o Iraque sunita, a Síria e o Egito xiitas. Tirando ocasionais vitórias muçulmanas, mais notadamente no Campo de Sangue em 1119, o começo do século XII foi dominado pela expansão e agressão franca. Mas nos anos 1140 parecia que a maré estava virando, pois o *atabeg* de Mossul e Alepo e sua família (a dinastia Zengida) tomaram a tocha da *jihad*.

ZENGUI – O CAMPEÃO DO ISLÃ

A tomada de Edessa por Zengui em 1144 representou um triunfo para o Islã: foi o que uma crônica muçulmana descreveu como a "vitória das vitórias". Quando suas tropas tomaram a cidade de assalto em 24 de dezembro, o *atabeg* inicialmente permitiu que a pilhagem e a chacina corressem soltas. Mas, após essa primeira onda de violência, ele aplicou uma abordagem que foi, pelo menos para seus padrões, relativamente moderada. Os francos sofreram – todos os homens foram executados e todas as mulheres feitas escravas –, mas os cristãos orientais sobreviventes foram poupados e tiveram permissão para permanecer em seus lares. Igualmente, as igrejas latinas foram destruídas, mas as armênias e sírias permaneceram intactas.

De posse de Edessa, o *atabeg* podia nutrir esperanças de unificar uma vasta faixa de território sírio e mesopotâmico, abarcando de Alepo a Mossul. E para o mundo muçulmano do Oriente Próximo e do Oriente Médio, sua assustadora conquista parecia prometer o alvorecer de uma nova era, na qual os francos seriam expulsos do Levante. O ano de 1144 foi, sem dúvida, aquele que marcou um ponto de mutação para o Islã na guerra pela Cidade Sagrada. Igualmente, é evidente que Zengui fez esforços enérgicos no sentido de divulgar seu sucesso como o golpe desferido por um *mujahid* zeloso em nome de todos os muçulmanos.

Dentro da cultura islâmica, a poesia árabe tem um papel longamente estabelecido no sentido de influenciar e refletir a opinião pública. Os poetas muçulmanos costumavam compor trabalhos para recitação pública, às vezes diante de enormes multidões, misturando reportagem e propaganda para comentar eventos da atualidade. Os poetas que se juntaram à corte de Zengui (alguns deles sírios refugiados do jugo latino) eram autores de trabalhos que celebravam as conquistas do *atabeg* e o retratavam como o vencedor de um movimento jihadista mais amplo. Ibn al-Qaysarani (de Cesareia) enfatizou a necessidade de Zengui reconquistar toda a linha costeira síria (o *Sahil*), argumentando que esse era o motivo básico da guerra santa. "Diga aos governantes infiéis que se rendam (...) que entreguem todos os seus territórios", ele escreveu, "pois esta é a pátria de Zengui". Ao mesmo tempo, essa noção de conquista panlevantina era entrelaçada com um objetivo mais preciso, que possuía um foco devocional imediato – Jerusalém. Edessa ficava a centenas de quilômetros ao norte da Palestina, mas sua tomada foi, não obstante, apresentada como o primeiro passo na trilha da recuperação da Cidade Sagrada. "Se a conquista de Edessa é o alto mar", Ibn al-Qaysarani afirmou, "Jerusalém e o *Sahil* são sua praia".

Muitos contemporâneos muçulmanos aparentemente aceitaram essa projeção do *atabeg* como um guerreiro *jihadi*. O califa abássida de Bagdá conferiu a ele o imponente título de "Auxiliar do Comandante dos Fiéis, o Rei Apoiado pelo Divino". Considerando-se que os zênguidas ainda eram, até certo ponto, forasteiros – senhores de guerra turcos arrivistas, sem direito inato a governar hierarquias árabes e persas já estabelecidas no leste –, esse endosso do califa ajudou a legitimar a posição de Zengui. A ideia de que a carreira do *atabeg* havia de certa forma sido construída sobre esta única conquista também ganhou força. Até mesmo um cronista baseado na rival Damasco declarou que "Zengui sempre cobiçou Edessa e observou, esperando pela chance de alcançar sua ambição. Edessa nunca esteve fora de seus pensamentos ou longe de sua mente". Tomando por base sua vitória em 1144, cronistas islâmicos posteriores o rotularam de "*shahid*", ou mártir, uma honra reservada para aqueles que morreram "no caminho de Deus" se engajando na *jihad*.

Isso não implica sugerir que Zengui reconhecia o valor político de desposar os princípios da guerra santa apenas depois de seu súbito sucesso em Edessa. Uma inscrição datada de 1138 de uma *madrassa* (escola religiosa) damascena patrocinada pelo *atabeg* já o havia descrito como "o lutador da *jihad*, o defensor da fronteira, o domador dos politeístas e o destruidor dos hereges", e os mesmos títulos foram usados novamente quatro anos depois em uma inscrição em Alepo. Os eventos de 1144 permitiram que Zengui enfatizasse e expandisse essa faceta de sua carreira, mas mesmo assim a *jihad* contra os francos permanecia sendo mais um problema entre tantos. Dentro de seu próprio tempo de vida, o *atabeg* lutou, antes de qualquer coisa, para se apresentar como governante de todo o Islã; uma inspiração enfatizada por sua decisão de empregar uma gama de títulos de honra adaptados a diferentes necessidades (e diferentes idiomas) da Mesopotâmia, Síria e Diar Baquir. Em árabe ele era frequentemente denominado como *Imad al-Din Zangi* ("Zengui, o pilar da religião"), mas em persa ele podia se apresentar como "o guardião do mundo" ou "o grande rei do Irã", e em turco nômade como o "príncipe falcão".[1]

Existe bem pouca evidência no sentido de sugerir que Zengui priorizava à *jihad* a todas as outras coisas antes, ou mesmo depois, de 1144. Ele tomou as medidas para consolidar seu poder sobre o condado de Edessa no começo de 1145: tomou a cidade de Saruj dos francos e derrotou os reforços que os latinos conseguiram reunir em Antioquia. Mas não demorou, e ele foi encontrado novamente lutando contra os muçulmanos no Iraque. No começo de 1146 houve rumores de que Zengui estava preparando uma nova ofensiva contra a Síria. Começaram a construir armamento de cerco e, apesar de as obras serem oficialmente para a *jihad*, um cronista de Alepo admitiu que "algumas pessoas achavam que ele pretendia atacar Damasco".

Zengui já estava agora com 62 anos de idade e ainda gozava de uma notável saúde de ferro. Mas na noite de 14 de setembro de 1146, durante o cerco à fortaleza muçulmana de Qalat Ja'bar (às margens do rio Eufrates), ele sofreu um ataque súbito e inesperado. Os detalhes do terrível ataque são nebulosos. Zengui, de acordo com o que disseram, manteve numerosas sentinelas de guarda para não ser assassinado, mas de alguma forma conseguiram passar por eles, e o *atabeg* foi morto em sua própria cama. O agressor viria a ser descrito de formas variadas, como um eunuco de confiança, um escravo, um soldado, e também, o que não era de surpreender, viriam a circular rumores de que o gesto sangrento teria sido instigado por Damasco. A verdade provavelmente jamais virá à tona. Um serviçal que encontrou Zengui seriamente ferido relembra a cena:

> Tinham tentando matá-lo. Ele gesticulou para mim com o dedo indicador, como se apelando. Eu parei diante dele, pasmado, e disse: "Meu Deus, quem lhe fez isso?", mas ele não conseguiu falar e morreu naquele momento (Deus tenha piedade dele).[2]

A despeito de sua vitalidade animalesca e sua ambição inabalável, a carreira tumultuada do *atabeg* fora interrompida. Zengui, senhor de Mossul e Alepo, conquistador de Edessa, estava morto.

O advento de Nur al-Din

O fim de Zengui foi um episódio esquálido, brutal e ignominioso. Em meio ao choque do momento, até mesmo seus parentes pouco se preocuparam em prestar honras ao falecido; o cadáver do *atabeg* foi enterrado sem cerimônias e "suas reservas de dinheiro e tesouros foram espoliadas". As atenções então se voltaram para questões de poder e sucessão.

Os herdeiros de Zengui agiram rápido: seu filho mais velho, Saif al--Din, tomou Mossul – afirmando que a Mesopotâmia ainda era vista como o verdadeiro berço do Islã sunita; enquanto isso, Nur al-Din Mahmud, filho mais novo do *atabeg*, viajou para o oeste para assumir o controle das terras sírias de seu pai. Essa divisão do território de Zengui teve consequências notáveis. Sem interesse direto no Iraque, Nur al-Din – novo emir de Alepo – viria a se concentrar em questões levantinas, para assim, quem sabe, melhorar a localização de engajamento na *jihad*. Ao mesmo tempo, todavia, sem acesso às riquezas e recursos do Crescente Fértil, a força de seu reino sírio acabaria se esvaziando.

Nur al-Din chegou ao poder por volta dos 28 anos de idade. Diziam que ele era um homem alto, moreno, que usava barba mas não bigode, que tinha uma testa bonita e aparência agradável realçada pelos olhos belos e calorosos. Com o tempo ele ganharia poder para eclipsar até mesmo o do pai, emergindo como o mais temido e respeitado adversário da cristandade latina no Oriente Próximo – um governante que nutria e dava energia à causa da guerra santa islâmica. Até mesmo Guilherme de Tiro viria a descrevê-lo como "um homem sábio e prudente e, de acordo com as tradições supersticiosas de seu povo, um homem temente a Deus". Mas em 1146 a posição do emir era precária, e a tarefa que ele tinha pela frente era nada menos que intransponível.[3]

Na sequência do assassinato de Zengui, a Síria afundou no caos. A brutal eficácia do despotismo do *atabeg* agora ficou visível com a ilegalidade generalizada em grandes faixas do Levante muçulmano. Até mesmo um contemporâneo damasceno reconheceu que todas as cidades estavam entregues à confusão e que as estradas ficaram inseguras após um apreciado período de segurança. Ainda faltava Nur al-Din provar que tinha o direito e a capacidade de governar, e alguns tenentes leais a Zengui realinharam seus interesses. Sofrendo pressão de Unur, o governante *de facto* de Damasco, o senhor de guerra curdo Ayyub ibn Shadi, rendeu Balbeque e para lá mudou a capital síria. Nur al-Din Manteve o apoio a Sawar, o governante zênguida, e o respaldo do irmão de Shirkuh, irmão de Ayyub, mas no geral a perspectiva de sucesso ou mesmo de sobrevivência do jovem emir eram precárias.

Na condição de emir de Alepo, Nur al-Din se encontrou no controle de uma das grandes cidades do Oriente Próximo. Alepo tinha, já no século XII, uma história ancestral quase inimaginável – era um local de assentamento humano havia pelo menos sete mil anos. Em termos físicos, a metrópole de 1146 governada por Nur al-Din era dominada por uma impressionante cidadela murada, que brotava do coração da cidade, acima de uma escarpada colina natural de sessenta metros. Um visitante quase contemporâneo observou que essa "fortaleza é conhecida por sua inexpugnabilidade e, vista de longe devido a sua grande altura, sem par entre os castelos" – mesmo ainda hoje domina a cidade moderna. A grande Mesquita de Alepo, cuja distância do oeste não era das mais longas, foi fundada por volta de 715 pelos omíadas, aos quais os seljúcidas haviam acrescentado um chamativo minarete quadrado no fim do século XI. A cidade também era famosa como polo comercial, lar de uma rede de *souqs* (mercados) cobertos. Alepo pode não ter sido a primeira cidade da Síria do século XII, no entanto era um poderoso centro militar, político e econômico – e como tal, oferecia a Nur al-Din uma plataforma fundamental sobre a qual ele podia construir sua carreira.[4]

Em 1146, em meio ao caótico vácuo de poder que veio após a morte de Zengui, Nur al-Din precisava afirmar sua autoridade. Uma oportunidade para tal logo se apresentou com a chegada de notícias urgentes de uma súbita crise. O conde franco de Edessa, Joscelino II, estava fazendo uma tentativa desesperada de recuperar sua capital. Liderando uma força rapidamente reunida, ele marchou para a cidade em outubro de 1146 e, com o conluio do seu povo cristão, passou a noite nas defesas externas de Edessa. A guarda muçulmana correu para a fortemente protegida cidadela e os soldados se encontravam agora cercados.

Nur al-Din reagiu com urgente resolução, determinado a evitar a perda de Edessa para os francos e qualquer possibilidade de expansão a oeste para seu irmão Saif al-Din. O emir arregimentou milhares de tropas alepinas e guerreiros turcomanos, empenhando-se em uma fulminante marcha forçada dia e noite, viajando em ritmo tão intenso "que (os cavalos dos) muçulmanos caíam pelas estradas de exaustão". A velocidade gerou bons resultados. Carentes de mão de obra e de mecanismos de cerco para dominar a cidadela, as tropas de Joscelino ainda oscilavam no interior da cidade baixa quando chegou Nur al-Din. Preso entre as duas forças, o conde imediatamente abandonou a cidade, no entanto as perdas entre os latinos foram pesadas. Com Edessa novamente em sua posse, o emir resolveu fazer uma contundente demonstração de sua implacável vontade. Dois anos antes, Zengui havia poupado na cidade os cristãos do leste; mas agora, a título de punição por sua "conivência" com os francos, eles foram açoitados em Edessa por seu filho e herdeiro. Todos os homens foram mortos, e as mulheres e crianças foram escravizadas. Um cronista muçulmano observou que a espada apagou a existência de todos os cristãos, enquanto um chocado cristão da Síria descreveu como, na sequência desse massacre, a cidade ficou despojada de vida: uma visão aterradora, envolvida em uma nuvem negra, embebida em sangue, infectada por cadáveres de seus filhos e filhas. Aquela que um dia fora uma vibrante metrópole continuou sendo um fim de mundo pelos séculos seguintes.[5]

A demonstração de força de Nur al-Din ajudou a pavimentar sua autoridade sobre Alepo, não obstante seu impacto lúgubre em Edessa. Nessa ocasião, o emir havia seguido a liderança do pai ao contar com a força bruta e com o medo para impor sua autoridade. Todavia, com o tempo, Nur al-Din se mostrou capaz de empregar modos de governança mais sutis – desde políticas consensuais a formação da opinião pública –, conjugados a uma determinação de aço. Assim como Zengui, ele tinha como aspiração a união de Alepo e Damasco, mas para começar, pelo menos, o emir cultivou uma atmosfera de renovada cooperação com seu vizinho ao sul da Síria. Uma aliança matrimonial foi arranjada entre Nur al-Din e Ismat, filha de Unur de Damasco. O emir alepino também fez o gesto magnânimo de libertar uma jovem escrava capturada por Zengui em Balbeque em 1138, que já havia sido amante de Unur. Na opinião de um cronista muçulmano, essa foi "a razão mais importante da amizade entre Nur al-Din e o damasceno".

Com o reequilíbrio do poder que se deu após a morte de Zengui, Alepo e Damasco estavam lentamente começando um novo relacionamento. Não mais temendo uma iminente invasão zênguida, Unur teve sua autoridade revigorada e começou a romper relações com governantes que eram clientes dos francos. Quando Altunsah de Bosra, um de seus dependentes, procurou formar uma aliança separatista com o reino de Jerusalém na primavera de 1147, Unur interveio. Nur al-Din foi para o sul a fim de dar apoio e juntos os dois derrotaram uma tentativa latina de ocupar Bosra. Esse extraordinário sucesso rendeu a Unur o reconhecimento dos califas rivais de Bagdá e Cairo – ambos lhe enviaram robes de honra e diplomas de investidura. Perante esse pano de fundo, foi Damasco, e não Alepo, que se destacou como principal governo muçulmano sírio em 1147.

Nur al-Din passou aquele verão consolidando sua posição ao norte e fazendo campanha na zona oeste de fronteira com Antioquia. O emir reagiu às notícias alarmantes se colocando em posição defensiva. Havia rumores segundo os quais um exército latino "inumerável" estaria "a caminho da terra do Islã"; disseram que tantos cristãos haviam se juntado ao enorme exército que o oeste ficara vazio e sem defesa. Alarmados com essas novidades, Alepo e todos os seus vizinhos muçulmanos começaram a se preparar para a Segunda Cruzada e para a chegada de uma nova guerra.[6]

COMBATENDO A CRUZADA

Ao longo dos seis meses seguintes, os relatos das experiências de cruzados alemães e franceses foram gradualmente chegando ao Oriente Próximo. Um damasceno ouviu que "vários deles pereceram" na Ásia Menor por "assassinato, doença ou fome", e no começo de 1148 era evidente que Ma'sud, o sultão seljúcida de Anatólia, havia causado graves baixas entre os francos. Para Nur al-Din e Unur, que esperavam ansiosamente em Alepo e Damasco, essas notícias foram certamente bem-vindas, além, claro, de um alívio. Seus vizinhos turcos ao noroeste – mais costumeiramente rivais do que aliados em décadas mais recentes – embotaram a cruzada cristã antes mesmo que ela chegasse ao Levante.

Ainda assim, o perigo não havia passado. Naquela primavera, sobreviventes latinos (cujo número ainda estava na casa das centenas) começaram a chegar aos portos da Síria e da Palestina. A questão agora era uma só: onde deveriam atacar? Nur al-Din preparou Alepo para um ataque e seu irmão, Saif al-Din, trouxe reforços no final daquele verão. Ainda assim, ao contrário do que se esperava, quando chegou a ofensiva franca no mês de julho de 1148, foi afinal direcionada ao sul, contra Damasco.

Chegando a Antioquia em março daquele ano, o rei Luís VII da França havia brigado com Raimundo de Antioquia. A recente devastação de Edessa havia aniquilado qualquer possibilidade de tentar sua imediata reconquista; assim, Raimundo defendeu uma campanha tendo como alvo Alepo e Xaizar. O plano tinha mérito considerável, oferecendo uma oportunidade de atacar o poder zênguida enquanto Nur al-Din ainda estava consolidando sua autoridade sobre o norte da Síria, mas o rei franco rejeitou o esquema e prontamente se pôs a marchar para o sul, rumo à Palestina. As razões da decisão de Luís haviam sido longamente debatidas. Ele talvez estivesse com poucas reservas, além de ávido para completar sua peregrinação a Jerusalém. A questão central, contudo, era provavelmente um tórrido escândalo. Ao chegar a Antioquia, a jovem e carismática Leonor de Aquitânia, esposa de Luís, passou bastante tempo em companhia de seu tio, o príncipe Raimundo. Houve rumores de que os dois haviam começado a viver um apaixonado e incestuoso romance. Humilhado e perplexo, o monarca franco foi forçado a tirar a esposa da cidade contra a vontade dela, em um gesto que azedou o relacionamento dos dois de modo irreparável e pôs fim a qualquer expectativa de cooperação entre Antioquia e os cruzados.

Conrado chegou à Terra Santa em abril daquele ano, e os contingentes da França e da Alemanha se reagruparam no norte da Palestina no começo do verão. Em 24 de junho, aconteceu perto de Acre um conselho de líderes cruzados latinos e da Suprema Corte de Jerusalém com o objetivo de debater um futuro curso de ação, e Damasco foi escolhida como novo alvo. Essa decisão já foi vista por alguns estudiosos quase como um ato de insanidade, levando em consideração a recente aliança da cidade muçulmana com a Palestina franca, bem como sua resistência à ascensão zênguida. Mas essa visão foi justamente desafiada tomando por base que a morte de Zengui em 1146 acabou redesenhando o equilíbrio de poder na Síria muçulmana. Damasco, que um dia fora um dócil joguete de Jerusalém contra Alepo, agora, em 1148, se tornara um vizinho bem mais ameaçador e agressivo. Como tal, sua neutralização e conquista eram objetivos razoáveis, e a tomada da cidade transformaria as perspectivas de sobrevivência no longo termo para Ultramar.[7]

Em meados do verão de 1148, os reis cristãos da Europa e de Jerusalém avançaram para Banyas e depois marcharam para Damasco. Unur fez o que pôde para preparar a cidade, reforçando as defesas e organizando as tropas e a milícia. Pedidos de ajuda foram despachados para seus vizinhos muçulmanos, incluindo os zênguidas. Em 24 de julho, os francos chegaram aos densos e fartamente irrigados jardins a sudoeste de Damasco. Essa mata densa, cercada por muros baixos de barro, se estendia até mais ou menos oito quilômetros do subúrbio da cidade. Transponível apenas por vias estreitas, esses jardins já vinham servindo há muito tempo como primeira linha de defesa natural. Os muçulmanos fizeram o que puderam para impedir o avanço dos latinos, lançando ataques de escaramuça e incessantes saraivadas de flechas de torres de observação e pontos de vantagem ocultos entre as árvores, mas o inimigo persistiu.

No fim do dia os francos haviam estabelecido um acampamento em terreno aberto em frente à cidade, de onde tinham acesso às águas do rio Barada; em contraste com Antioquia e Jerusalém, Damasco não possuía grandes fortificações, mas era protegida principalmente por um muro externo baixo e pelo emaranhado de seus subúrbios mais remotos. Com os cristãos agora esperando nas cercanias, a metrópole parecia terrivelmente vulnerável. Unur ordenou que fossem feitas barricadas nas ruas com grandes toras de madeira e pilhas de escombros e, para levantar o moral, um grande encontro se deu na Grande Mesquita de Umayyad. Um dos tesouros mais sagrados de Damasco, uma referenciada cópia do Alcorão que já tinha pertencido ao califa Uthman (um dos primeiros sucessores de Maomé), foi exibida para a multidão, "e as pessoas salpicaram cinzas em suas cabeças e derramaram lágrimas de súplica".

Pelos três dias seguintes ocorreu uma batalha desesperadora na qual os muçulmanos lutaram para conter os francos, e os dois lados sofreram pesadas baixas em um combate penoso. Reforços do Vale de Biqa robusteceram a resistência muçulmana e, com a chegada de Nur al-Din e Saif al-Din antecipada, Unur ganhou tempo. Ao que parece, ele havia prometido renovar os pagamentos de tributos em retorno pelo fim das hostilidades. Ciente das rivalidades cujo veneno corria debaixo da superfície e da coalizão cristã, Unur também procurou, de modo assaz tortuoso, semear as sementes da dúvida e da desconfiança. Ao que tudo indica, uma mensagem teria sido enviada para os reis cruzados avisando da chegada dos zênguidas ao mesmo tempo que um emissário isolado teria entrado em contato com os francos do Levante, observando que sua aliança com os ocidentais apenas culminaria na criação de um novo adversário no leste, pois, "você sabe, se eles tomarem Damasco, tentarão tomar as terras costeiras que estão em suas mãos". As tropas cristãs certamente foram atormentadas por tensões internas, enquanto, por outro lado, as fontes latinas confirmam que os francos começaram a discutir quem teria direito sobre a cidade caso ela caísse.

Como não houve muito progresso e surgiam cada vez mais dúvidas, os francos fizeram um conselho de guerra na noite de 27 de julho, e uma decisão um tanto alterada pelo pânico foi feita: ir para o leste da cidade, de onde, acreditavam, um ataque direto seria mais fácil de realizar. Na verdade, essa área de Damasco se mostrou fortemente defendida, e os cristãos agora se encontravam acampados em uma posição exposta e sem água. Debaixo do sol causticante do verão, as pessoas acabaram se descontrolando. De acordo com uma testemunha muçulmana, "os francos receberam relatos de várias fontes sobre o rápido avanço dos exércitos muçulmanos que se engajaram em uma guerra santa contra eles, e ficaram convencidos de sua própria destruição e do desastre iminente". Fontes latinas murmuraram sobre traição dentro do exército, subornos por parte de Unur e acusações graves de todos os lados. Em 28 de julho, a coalizão de cruzados e francos levantinos deu início a uma retirada terrivelmente humilhante, atormentados por batedores damascenos enquanto fugiam. O rei Conrado viria a escrever que os cristãos haviam "se retirado com o pesar de um cerco fracassado", enquanto Guilherme de Tiro descreveu os cruzados como sujeitos "cobertos de confusão e medo". Os reis da França e da Alemanha falaram sobre planos de lançar um segundo ataque a Damasco, mais bem equipado, ou uma possível campanha contra a fatímida Ascalão, mas não houve nenhuma ação concreta. Conrado zarpou para a Europa em setembro e, após visitar os lugares sagrados, Luís seguiu pelo mesmo rumo na primavera de 1149. Com alívio, um cronista muçulmano declarou que "Deus salvou os crentes (em Damasco) de seu demônio".[8]

No que tange aos francos, o grande impulso levantino para a Segunda Cruzada havia terminado em execrável derrota. Após preparações então grandiosas e régias, os planos cristãos deram em nada e o próprio conceito de guerra sagrada latina agora estava sendo questionado. As consequências desse grave golpe na popularidade e na prática da cruzada seriam sentidas durante muito tempo. A despeito do debate prolongado de que seria sábia a decisão dos francos de cercar Damasco, os historiadores normalmente têm subestimado o impacto da cruzada sobre o Islã do Oriente Próximo. Na superfície, o equilíbrio de poder não demonstrava mudanças – Unur continuava no controle de Damasco; os cristãos haviam sido repelidos. Mas quando o perigo extrapolou o que eles eram capazes de suportar, os damascenos foram forçados a apelar a Alepo e Mossul. Por um breve momento em meados dos anos 1140, Unur parecera capaz de controlar a ascensão zênguida; agora, no rescaldo da Segunda Cruzada, ele teve de aceitar uma relação cada vez mais subserviente com Nur al-Din.

O ataque latino a Damasco em 1848 também contribuiu para endurecer o sentimento antifranco entre a população damascena como um todo. Não demorou muito para Unur e a elite dominante burida retomarem os canais diplomáticos com o reino de Jerusalém, mas o apoio local para a política de aliança com a Palestina agora se encontrava em declínio terminal.

O condado de Edessa desmembrado

Alepo havia escapado da Segunda Cruzada incólume e, quando muito, a expedição latina havia reforçado a posição de Nur al-Din no norte da Síria. Certamente, a cruzada nada fizera para reverter as conquistas zênguidas no condado de Edessa. Nos anos seguintes, as sobras dispersas daquele que tinha sido o primeiro Estado cruzado foram gradualmente recolhidas pelo Islã. Encarando pressão que vinha de três fontes – pois tanto Nur al-Din quanto Ma'sud de Konya e os artúquidas queriam conquistar territórios em Edessa –, o conde Joscelino II tentou comprar uma medida de segurança ao concordar com uma trégua submissa com Alepo. Mas quando o condado foi tomado em 1150, Nur al-Din não deu muita atenção ao suposto status de Joscelino de cliente-aliado; o franco foi para a prisão (possivelmente após ser cegado) e permaneceu em confinamento até sua morte nove anos mais tarde.

Os apoiadores dos zênguidas aproveitaram ao máximo quando Joscelino perdeu o poder. Descrevendo-o como "um demônio intransigente, implacável e cruel contra os muçulmanos", um cronista muçulmano observou que "a captura do conde foi um golpe em toda a cristandade". Elaborando o assunto, o poeta Ibn al-Qaysarani (agora membro da corte de Nur al-Din) afirmou que a própria Jerusalém em breve seria "purificada".[9]

Com Joscelino na prisão, sua esposa Beatriz vendeu o que restou do condado latino para os bizantinos, suscitando a fuga de uma torrente de refugiados cristãos francos e do leste para Antioquia. A condessa ficou na Palestina, onde seus filhos – Joscelino III e Agnes – depois se tornaram figuras políticas de destaque. Até mesmo os gregos se mostraram incapazes de defender esses entrepostos isolados e, com a queda de Tell Bashir perante as forças de Nur al-Din no ano de 1151, o condado de Edessa chegou a seu fim. Os zênguidas haviam erradicado um dos quatro Estados cruzados.

8. A LUZ DA FÉ

Nur al-Din emergiu como um dos principais líderes muçulmanos do Oriente Próximo na sequência da Segunda Cruzada. Ao longo de sua carreira, Nur al-Din viria a unir a Síria, estendendo o poder zênguida Egito adentro e acumulando uma série de vitórias contra os francos cristãos. Ele se tornou um dos maiores luminares do Islã medieval, celebrado como um robusto defensor da ortodoxia sunita e um campeão da *jihad* contra o Ultramar latino. De fato, a denominação pela qual ele é conhecido historicamente, "Nur al-Din", significa literalmente "a Luz da Fé".

Cronistas muçulmanos da época geralmente apresentavam Nur al-Din como o próprio arquétipo de um governante islâmico perfeito – profundamente religioso, clemente e justo; humilde e austero, apesar de culto; valente e habilidoso em batalha; e comprometido com a guerra pela Terra Santa. Essa visão foi expressa de forma mais poderosa pelo grande historiador iraquiano Ibn al-Athir (d, 1233), escrevendo em Mossul no começo do século XIII, quando a cidade ainda era governada por membros da dinastia zênguida de Nur al-Din. Entre seus muitos trabalhos, Ibn al-Athir compôs um volumoso relato da história humana, começando pela criação, e mesmo nessa crônica Nur al-Din era apresentado como o principal protagonista. Diz o texto que "a fama de sua boa governança e justiça alcançaram o mundo inteiro" e que "suas boas qualidades eram numerosas e suas virtudes abundantes, mais do que pode conter este livro".[10]

Historiadores modernos tentaram, com variados níveis de sucesso, ultrapassar esse panegírico para reconstruir uma visão autêntica de Nur al-Din, produzindo imagens dramaticamente divergentes. Uma questão central desse processo tem sido a tentativa de apontar um momento de transformação ou epifania espiritual na vida do emir, após a qual ele tomou o manto de *mujahid*.[11] No contexto das cruzadas, duas questões entrelaçadas são determinantes. Nur al-Din passou uma boa parte da vida lutando contra companheiros muçulmanos – mas estaria ele agindo por um bem maior, unificando o Islã em preparação para a *jihad*, ou seria a guerra santa simplesmente um veículo conveniente por trás do qual ele poderia construir um império zênguida? E Nur al-Din teria começado como um senhor de guerra turco ambicioso e egoísta e, em algum momento, vivenciado um aprofundamento de sua convicção religiosa e uma aceleração de seu desejo de se engajar na guerra santa? Em parte, essas perguntas podem ser respondidas seguindo o rastro da carreira de Nur al-Din – examinando quando e por que ele lutou contra os latinos; e avaliando suas relações com os muçulmanos sunitas da Síria, os fatímidas xiitas do Egito e os gregos de Bizâncio.

A BATALHA DE INAB

No verão de 1149, Nur al-Din lançou uma ofensiva contra o principado cristão de Antioquia, procurando consolidar sua autoridade emergente sobre o norte da Síria. Desde o final de 1148 suas tropas haviam se chocado com forças antioquenas em alguns encontros de pequena escala, mas sem alcançar nenhum resultado conclusivo. Em junho de 1149, Nur al-Din aproveitou a recente reaproximação com Unur de Damasco para pedir reforços, reunindo um exército invasor formidável, encabeçado por seis mil guerreiros a cavalo. Os historiadores pouco se esforçaram para entender as motivações do governante de Alepo, preferindo presumir que ele estava simplesmente procurando entrar em confronto com o príncipe Raimundo de Antioquia. Mas, assim como seu predecessor Il-ghazi em 1119, as atitudes de Nur al-Din provavelmente tiveram propósito estratégico mais definido.

Em 1149, Nur al-Din partiu para conquistar dois entrepostos latinos – Harim e Apamea. O vilarejo fortificado de Harim ficava às margens das Montanhas Belus, em uma posição de destaque, com vista ampla para a planície antioquena. Harim ficava a apenas vinte quilômetros de Antioquia e estava nas mãos dos latinos desde a época da Primeira Cruzada. Fazia muito tempo que as Montanhas Belus vinham desempenhando um papel determinante no conflito entre Alepo e o principado. Tempos antes, no século XII, quando Antioquia estava em ascensão, os francos haviam ocupado territórios a leste dessas encostas escarpadas, representando uma ameaça direta à segurança de Alepo. O primeiro a recuar foi Il-ghazi, depois Zengui fez o mesmo, restabelecendo assim uma fronteira que seguia a barreira natural das Montanhas Belus. Mas Nur al-Din não ficou contente com esse estado de equilíbrio. Ele queria tomar Harim e ganhar um porto seguro depois da barreira das Montanhas Belus e, por conseguinte, minando a integridade da defesa da fronteira oriental de Antioquia.

Nur al-Din também almejava Apamea, na fronteira ao sul do planalto de Summaq. No passado, o domínio de Antioquia sobre o Summaq ameaçava as principais rotas de comunicação entre Alepo e Damasco, mas Zengui havia recapturado boa parte dessa área no final da década de 1130. Por volta de 1149, o território dos francos se resumia a um exíguo corredor que abraçava o sul do Vale de Orontes até o entreposto mais solitário de Apamea. O principal objetivo de Nur al-Din em 1149 parece ter sido a conquista desse vilarejo fortificado, erradicando a insistente presença latina na região do Summaq. Falharam todas as tentativas recentes de tomar diretamente Apamea, que ficava empoleirada em um imponente montículo antigo. Mudando de tática, Nur al-Din agora procurou isolar a cidade – cortando sua principal linha de comunicação com Antioquia ao tomar o controle da ponte ash-Shogur, que cruzava o rio Orontes.

Em junho ele avançou pela vizinhança e começou as operações com um cerco ao pequeno forte de Inab. Quando essa notícia chegou a Antioquia, o príncipe Raimundo reagiu rapidamente, talvez até de modo impetuoso. Reza a tradição latina posterior que ele teria partido imediatamente para liberar Inab, "sem esperar pela escolta da própria cavalaria, correndo às pressas para aquele lugar", mas pode ter havido um pouco de exagero, pois, de acordo com os cálculos de um contemporâneo muçulmano que vivia em Damasco, os francos chegaram com quatro mil cavaleiros e mil soldados de infantaria. O grupo de Raimundo também incluía um contingente dos Assassinos, liderados pelo seu aliado muçulmano curdo, 'Ali ibn Wafa. Nur al-Din reagiu à abordagem de Antioquia em 28 de junho com cautela, retirando-se de Inab para avaliar a força do inimigo, mas seus olhos estavam abertos para qualquer chance de lançar um contra-ataque, e foi justamente essa a oportunidade que se apresentou.

Chegando aos arredores de Inab, Raimundo presumiu, muito otimista, ter espantado as forças de Nur al-Din e assegurado o controle da região. Ele resolveu acampar naquela noite em terreno aberto em vez de se retirar para um local mais reservado – um erro fatal. Tendo na verdade avançado apenas uma distância curta, Nur al-Din reuniu informações sobre os números francos e sua posição exposta e imediatamente rastreou seus passos na calada da noite. Ao amanhecer de 29 de junho de 1149, os latinos se viram cercados. Sentindo que uma famosa vitória agora estava ao seu alcance, o senhor de Alepo não perdeu tempo e tirou vantagem, "atacando o acampamento como se estivesse sitiando uma cidade", segundo as palavras de um cristão. De acordo com a Crônica de Damasco, o príncipe Raimundo lutou em vão para reanimar seus homens e montar uma defesa, "mas os muçulmanos se dividiram em grupos que atacaram de variadas direções, como um enxame". Houve ferozes lutas corpo a corpo e, com a intensificação dos ventos, a tempestade de areia aumentou a confusão. Em desvantagem numérica e cercados, os francos logo cederam, mas, mesmo com a fuga de setores inteiros de seu exército, Raimundo aguentou firme, lutando até o fim. Um texto árabe da época descrevia como "as espadas do Islã deram a palavra final (e) quando a névoa se dispersou, (os cristãos) jaziam no chão prostrados e sujos de terra".

Os muçulmanos haviam ganhado, e a plena extensão de seu triunfo se tornou nítida quando os homens de Nur al-Din começaram a vasculhar o campo de batalha. Foi onde encontraram o governante antioqueno Raimundo "esticado no chão entre sua guarda e seus cavaleiros; ele foi reconhecido e sua cabeça cortada foi levada a Nur al-Din, que recompensou o portador com um belo presente". Houve rumores segundo os quais o príncipe fora abatido por um golpe de espada do senhor de guerra curdo Shirkuh. Nur al-Din aparentemente mandou colocar a cabeça do franco em uma estante de troféus de prata e partiu para Bagdá para comemorar a vitória sobre o inimigo que, de acordo com os muçulmanos, havia "adquirido reputação especial pelo horror que causava com sua grande severidade e excessiva ferocidade". Fontes latinas confirmam que o cadáver de

Raimundo foi decapitado, acrescentando a macabra porém prática observação de que, quando os antioquenos finalmente retornaram para recuperar seu corpo mutilado, só puderam identificá-lo através de "certas marcas e cicatrizes".[12]

O significado da Batalha de Inab em 1149 fazia paralelo com o Campo de Sangue de trinta anos antes. O principado franco estava novamente carente de um governante potente e não havia o menor sinal de algum herdeiro adulto à vista, de modo que o principado continuou sem líder, logo, vulnerável. Nur al-Din estava agora em posição dominante, mas suas ações após a Batalha de Inab foram reveladoras. O crucial é que ele não fez nenhuma tentativa determinada de subjugar Antioquia propriamente, preferindo enviar uma grande parte de suas forças armadas para Apamea, no sul. Nur al-Din conduziu o que restou de suas tropas para a capital do principado, mas após um breve cerco concordaram em deixar a cidade intacta em troca do pagamento de um considerável tributo em ouro e tesouros. Viajando para o litoral, ele fez o gesto simbólico de se banhar no Mediterrâneo – um ato de afirmação, indicando que o poder islâmico agora se expandia para o oeste pelo mar.

O verdadeiro trabalho de conquista começou por volta de meados de julho, com um ataque em Harim. Como a guarda latina da cidade estava enfraquecida depois da Batalha de Inab, a cidade caiu rapidamente e foram tomadas medidas imediatas para fortalecer suas defesas. Perto do fim desse mesmo mês, Nur al-Din marchou para o sul rumo a Apamea. Expulsos de Antioquia, sem esperança de resgate, os francos que lá estavam se renderam em troca de terem suas vidas poupadas.

Como Il-ghazi em 1119, Nur al-Din aproveitou a derrota dos antioquenos para alcançar objetivos estratégicos específicos – neste caso, a neutralização de Antioquia e a asserção do domínio de Alepo sobre as terras a leste do rio Orontes. Ele também abandonou uma oportunidade potencial para tomar Antioquia, possivelmente, em parte, por lhe faltarem recursos humanos e materiais para vencer as imensas fortificações da cidade, e também por ele estar ciente de que em breve chegariam reforços vindos da Palestina para ajudar os francos. É certo que a conquista de Antioquia não foi um objetivo prioritário em 1119, tampouco em 1149.

Não obstante essas semelhanças evidentes, a Batalha de Inab não foi uma simples repetição do Campo de Sangue. Em 1119, o rei Balduíno II de Jerusalém correu para ajudar o principado e, ao longo dos anos seguintes, recuperou os territórios que havia perdido. Seu neto, o rei Balduíno III, também viajou para o norte da Síria no verão de 1149, mas se mostrou incapaz de reviver plenamente a sina de Antioquia. Apamea jamais foi recuperada, e uma breve tentativa de retomar Harim fracassou. Com os soldados de Nur al-Din resguardados a uma grande distância da capital, diminuía bastante a capacidade do principado de ameaçar Alepo. Mais tarde naquele verão, os latinos foram pressionados a aceitar um tratado humilhante com Nur al-Din, que ao confirmar os direitos de Alepo sobre o planalto de Summaq e o território a leste das Montanhas Belus, reconheceu tacitamente a emasculação de Antioquia.

As motivações e intenções subjacentes de Nur al-Din em 1149 também eram fundamentalmente diferentes das de Il-ghazi e isso, por si só, expunha uma verdade mais profunda sobre o instável equilíbrio de poder na Síria. O Campo de Sangue havia sido uma expressão da rivalidade entre antioquenos e alepinos, uma tentativa desesperada de conter a implacável maré de expansão territorial franca para o leste. Em agudo contraste, e a despeito das aparências iniciais, a campanha que culminou na Batalha de Inab foi, na verdade, conduzida por um desafeto intermuçulmano. O objetivo de Nur al-Din ao partir para ocupar Apamea não era o de refutar a agressão dos francos, mas sim abrir uma rota clara e incontestável para o sul, partindo de Alepo rumo à cidade de Damasco, que era seu verdadeiro alvo e estava nas mãos dos buridas. Recuando para além do rio Orontes, os antioquenos não estariam em posição de interferir nesse jogo maior.

Gerações de historiadores modernos interpretaram erroneamente as causas e o significado de Inab, alguns até mesmo assegurando que essa vitória marcava um momento de mudança vital para Nur al-Din, que se transformara em um dedicado guerreiro *jihadi*. Para ter certeza, o senhor de Alepo celebrou o seu sucesso contra os cristãos. Um cronista muçulmano observou que "os poetas teceram muitas loas a Nur al-Din, parabenizando-o por sua vitória, pois a morte do príncipe Raimundo teve um grande efeito em ambos os lados", e seguiu citando este verso de autoria de Ibn al-Qaysarani:

> Suas espadas fizeram os francos tremer de pavor
> O que fez os corações de Roma acelerarem
> Você lhes esmagou o chefe com golpe esmagador
> O que lhe destruiu o sustentáculo e fez a cruz quedar
> A terra inimiga do sangue deles você limpou
> Em uma limpeza que a toda espada poluiu.

Mas aceitar essa propaganda ao pé da letra seria ignorar a realidade do foco estratégico de Nur al-Din em 1149: Damasco. Eventos futuros viriam a demonstrar que ele estava plenamente satisfeito em deixar Antioquia nas mãos vacilantes dos francos porque, neutralizados enquanto ameaça no teatro do conflito levantino, o principado latino servia como Estado amortecedor entre Alepo e a Bizâncio grega. De fato, nesses primeiros anos do seu governo, a preocupação principal de Nur al-Din era a conquista de Damasco.

Os eventos de agosto de 1149 inicialmente pareceram oferecer a Nur al-Din a oportunidade perfeita para aumentar sua influência dentro da Síria muçulmana. Após um jantar particularmente caloroso, seu ora aliado, ora rival Unur de Damasco foi "atacado por um afrouxamento dos intestinos que se degringolou em uma debilitante crise de disenteria". No fim do mês, Unur estava morto e Damasco desmoronou em uma caótica luta por poder. No entanto, qualquer esperança de tirar proveito desse infortúnio se evaporou em 6 de setembro, com a chegada da notícia de outra morte, desta vez a do irmão mais velho de Nur al-Din, Saif al-Din. Nur al-Din correu para o Iraque, tentou brevemente reivindicar Mossul, mas finalmente se reconciliou a contragosto com o irmão mais novo, o herdeiro designado Qutb al-Din Maudud. Ele havia perdido a chance de tomar o controle de Damasco. O hesitante governo burida perdurava na cidade, mas não demoraria muito para o olhar de Nur al-Din se voltar novamente para o sul de Alepo.[13]

A ESTRADA PARA DAMASCO

Em 1150, a Terra Santa latina foi assolada pela adversidade. É possível dizer que nunca houve momento mais propício para os senhores do Islã do Oriente Próximo – e para Nur al-Din em particular – atacarem o coração dos Estados cruzados, enxotando os francos para o Mediterrâneo. Os cristãos haviam sofrido, em rápida sucessão, o fracasso da Segunda Cruzada, a derrota em Inab e a dissolução do condado de Edessa. Após 1149, suas dificuldades só se aprofundaram. Foram feitos chamados em pânico para o oeste da Europa convocando para uma nova cruzada, mas a recente humilhação seguia fresca na memória, de modo que não houve resposta para os chamados. Em Antioquia, a súbita morte do príncipe Raimundo catapultou mais uma sucessão de crises, pois seu filho e herdeiro, Boemundo III, tinha apenas cinco anos de idade, e sua viúva Constância rejeitou os planos de seu primo, o rei Balduíno III, de casá-la com alguém de sua escolha. Assim como sua mãe Alice, Constância procurava ter controle sobre o próprio destino, mas isso deixou o principado sem um comandante militar masculino por quatro anos, e selou Balduíno III com a supervisão de Antioquia. As responsabilidades do jovem rei toram multiplicadas ainda mais em 1152, com a morte de Raimundo II de Trípoli por um bando de Assassinos. Enquanto o filho do conde e homônimo, Raimundo III, tinha apenas doze anos de idade, Balduíno estava novamente sendo forçado a assumir o manto do guardião.

Ainda com apenas vinte e poucos anos, Balduíno III de Jerusalém agora se via incumbido de governar todos os três Estados cruzados sobreviventes. Para piorar ainda mais as coisas, seu relacionamento com Melisenda, sua mãe, estava se esfacelando. Juntos eles haviam exercido um governo conjunto em Jerusalém desde 1145 (quando o jovem rei alcançou sua maioridade com quinze anos de idade), e no começo a sabedoria e a experiência da rainha haviam sido uma fonte bem-vinda de segurança e continuidade. Mas à medida que Balduíno foi ficando adulto, a presença da mãe ao seu lado começou a parecer mais sufocante do que reconfortante. Melisenda, por sua parte, não tinha nenhuma intenção de renunciar ao poder e ainda desfrutava de apoio dentro do reino. A partir de 1149, as relações entre os dois cogovernantes azedaram, e por volta de 1152 a Palestina latina estava quase destruída pela guerra civil. No final das contas, Balduíno foi forçado a levar Melisenda de suas terras em Nablus e inclusive a cercar a rainha na Cidade Sagrada para forçar sua abdicação e garantir seu direito a governar de modo independente.

A despeito da endêmica fraqueza de seu suposto inimigo, Nur al-Din pouco fez para conduzir diretamente os interesses da *jihad* contra os cristãos. Na verdade, ele continuou a direcionar o máximo de sua energia e recursos em direção à conquista de Damasco. Aqueles que procuravam promover Nur al-Din como herói de uma guerra santa islâmica – desde as crônicas muçulmanas medievais aos historiadores modernos – tem alegado que esse foco obstinado em dominar a Síria não passava de uma forma de chegar a outro objetivo; que apenas evitando que Damasco caísse em mãos cristãs e unindo o Islã o governante de Alepo poderia finalmente esperar conseguir uma vitória na batalha maior contra os francos.[14] Zengui havia olhado para o prêmio de Damasco, mas muitas vezes era atraído pelos assuntos da Mesopotâmia. Pelos próximos cinco anos, Nur al-Din perseguiu esta presa com maior determinação, trazendo uma variedade de nuances de táticas. As armas primárias de seu pai sempre foram intimidação e medo. Ele havia massacrado a população de Balbeque depois de prometer poupar suas vidas se eles se rendessem, na vã esperança de aterrorizar Damasco em submissão. Nur al-Din talvez tenha aprendido a lição desse fracasso. Ele adotou uma nova abordagem, preocupando-se com a batalha por corações e mentes, bem como a força das armas.

O poder em Damasco agora jazia nas mãos de Abaq, outro membro da vacilante dinastia burida, e em seu círculo interno de conselheiros, mas seu controle sobre a cidade estava longe de ser total. Em abril de 1150, Nur al-Din respondeu a notícias de incursões latinas no Hauran, a zona de fronteira entre Jerusalém e Damasco, chamando Abaq para se juntar a ele a fim de repelir os francos, e então marcharam rumo ao sul da Síria, avançando para além de Balbeque. Justamente como ele esperava, Abaq prevaricava com "argumentos e dissimulação", ao mesmo tempo que despachava enviados para forjar um novo pacto com o rei Balduíno III.

Agora acampado ao norte de Damasco, Nur al-Din tomou muito cuidado para continuar disciplinando suas tropas, evitando que elas "saqueassem e causassem danos nos vilarejos", apesar de ele ter aumentado a pressão diplomática sobre Abaq. Chegaram mensagens em Damasco repreendendo o governante por se aliar aos francos e a eles pagar tributos monetários "roubados dos pobres e dos fracos entre os damascenos". Nur al-Din garantiu a Abaq que não tinha intenção de atacar a cidade, mas que havia sido agraciado por Alá com poder e recursos "para trazer ajuda aos muçulmanos e para me engajar na guerra santa contra os politeístas" – e a resposta muito direta de Abaq foi que "não há nada entre nós a não ser a espada". A abordagem firme e ao mesmo tempo contida de Nur al-Din parece, contudo, ter dado frutos, considerando-se que a opinião pública dentro de Damasco começou a ficar favorável a ele. Um residente muçulmano chegou mesmo a observar que "preces são continuamente oferecidas para ele pelo povo de Damasco".

Nur al-Din recuou de seu intercâmbio inicial, tendo feito ganhos apenas relativamente parcos, e apesar de toda sua postura hostil, Abaq acabou concordando com uma trégua renovada com Alepo, oficialmente reconhecendo Nur al-Din suserano e ordenando que seu nome fosse recitado toda sexta-feira durante a prece, além de colocado em moedas damascenas. Por mais simbólicos que esses gestos possam ter sido, o trabalho fragmentado de subjugar Damasco com um mínimo de derramamento de sangue tinha começado. Ao longo dos anos seguintes, Nur al-Din manteve a pressão diplomática e militar sobre os buridas ao mesmo tempo que ainda buscava evitar um ataque direto a sua cidade. Sua "escrupulosa aversão à matança de muçulmanos" continuava a ser notada por aqueles que viviam em Damasco, e em 1151 muitos estavam rejeitando o chamado de Abaq para ajudá-lo contra Alepo.

Por volta dessa época, Ayyub, irmão de Shirkuh ibn Shadi, começou a atuar como agente de Nur al-Din na cidade. Ayyub havia transferido sua lealdade para a dinastia burida em 1146, mas agora decidira, com típica flexibilidade política, retornar ao rebanho zênguida, tornando-se uma voz valiosa de apoio dentro da corte damascena, enquanto também ganhava as milícias locais. Com passos lentos, Nur al-Din estava transformando Damasco em um estado-cliente. Em outubro de 1151, Abaq havia de fato viajado para o norte de Alepo para declarar sua lealdade, tacitamente admitindo sujeição na esperança de evitar a conquista plena. Nur al-Din usou isso como desculpa para entregar propaganda ainda mais desonesta e facciosa – escrevendo repetidamente, fazendo-se passar por um preocupado suserano, para avisar a Abaq que vários membros de sua própria corte damascena estavam fazendo contato com Alepo para tramar a rendição de Damasco.

No inverno entre os anos 1153 e 1154, Nur al-Din finalmente intensificou sua campanha, avançando para impedir que embarcações com grãos chegassem ao norte de Damasco. A falta de comida logo fez efeito. Na primavera, com o descontentamento interno crescendo cada vez mais, ele enviou uma força para o sul sob a liderança de Shirkuh, então, no final de abril de 1154, fechou pessoalmente a cidade. Uma judia, segundo consta, baixou uma corda sobre os muros, permitindo que algumas tropas de Alepo escalassem suas muralhas a leste e levantassem o estandarte de Nur al-Din. Enquanto Abaq fugia da Cidadela, horrorizado, o povo de Damasco abriu os portões da cidade, oferecendo rendição incondicional.

Paciência e moderação trouxeram a Nur al-Din controle do assento histórico de poder muçulmano – ele agora cuidava de manter esses princípios. Abaq, a despeito dos medos, foi tratado com equanimidade e recompensado com o feudo de Homs em troca do controle de Damasco; ele posteriormente se mudou para o Iraque. Uma abundância de comida começou a fluir para dentro da cidade, e a generosidade de Nur al-Din foi confirmada pela "abolição das taxas no mercado de vegetais".

Quando Nur al-Din conquistou Damasco em 1154, foi uma vitória e tanto. Com esse ato, ele emergiu da sombra do pai, conseguindo sucesso onde Zengui fracassara várias e várias vezes. Nur al-Din podia agora reivindicar o domínio de quase toda a Síria muçulmana; pois pela primeira vez desde que começaram as cruzadas, havia união entre Alepo e Damasco. E tudo isso fora conquistado sem derramamento gratuito de sangue muçulmano.

A conquista de Damasco tem sido frequentemente retratada como uma das glórias máximas da sua carreira. Ciente do que isso representava, Nur al-Din começou a fazer vasto uso do título *al-Malik al 'Adil* (O Rei

Justo). Também se tornou comum a ideia de que a sua derrubada de outras políticas islâmicas era prenúncio necessário da guerra santa que seria empreendida contra os francos. Um cronista de Alepo viria a escrever que "a partir daí, Nur al-Din passou a se dedicar à *jihad*".

Essa visão dos eventos não resiste a um exame mais rigoroso. Nur al-Din provavelmente tinha mesmo real aversão a matar companheiros muçulmanos, mas ele também parecia estar muito ciente do valor de sua clemência em termos práticos e propagandísticos. Mais importante ainda, a despeito de haver se aproveitado do sentimento antilatino para legitimar e dar poder à sua campanha contra os buridas de Damasco, Nur al-Din não lançou nenhuma ofensiva *jihadi* após 1154. A retórica sugeria que, com o reino de Jerusalém diante de si, o emir desengatia uma fervorosa onda de agressão contra os francos. Na verdade, testemunhos árabes contemporâneos revelam que Nur al-Din de fato seguiu sua ocupação de Damasco aceitando novos acordos de paz com a Palestina latina. Em 28 de maio de 1155, "foi firmado um tratado de trégua" de um ano com Jerusalém. Em novembro de 1156, o pacto foi renovado por mais um ano, dessa vez com a estipulação de que um tributo de oito mil dinares de Tiro seria pago por Damasco aos francos. Longe de se concentrar na guerra santa, em 1154 Nur al-Din, na verdade, passou a maior parte do tempo adquirindo mais territórios dos muçulmanos – conquistando Balbeque e aproveitando a morte de Ma'sud, o sultão seljúcida de Anatólia, para absorver terras ao norte. Os tratados e tributos pagos aos cristãos, tão menosprezados anos antes, agora serviam para garantir as terras damascenas de Nur al-Din.[15]

Damasco – Paraíso do Oriente

A tomada de Damasco por Nur al-Din pode não haver gerado um renascimento imediato da *jihad*, no entanto marcou a história zênguida. A dinastia agora governava a maior cidade da Síria – aquela que um peregrino muçulmano do século XII descreveria como "o paraíso do Oriente... o selo das terras do Islã". Damasco é um dos povoados mais antigos permanentemente habitados na Terra, com uma história que data do ano 9000 a.C.

No coração de Damasco ficava a Grande Mesquita Umayyad – talvez a construção muçulmana mais deslumbrante da época. Construída no local de uma igreja cristã romana dedicada a João Batista (que por sua vez havia substituído um enorme templo de Júpiter), a Grande Mesquita foi construída por ordem do califa al-Walid no começo do século VIII ao extraordinário custo de sete anos de rendimentos do tesouro damasceno. Localizada dentro de um composto retangular murado de grandes proporções – medindo cerca de 150 por 90 metros –, o profusamente decorado salão de preces era alcançado através de um extenso quintal cujos muros exibiam mosaicos de quadros vivos sem igual em tamanho e magnitude: quarenta toneladas de vidro foram usadas em sua criação. Apesar de ter sido um tanto alterada por séculos de danos e de reconstruções (especialmente depois de sofrer um incêndio que resultou em danos significativos em 1893), a Grande Mesquita ainda pode ser visitada nos dias de hoje. O peregrino muçulmano ibérico do século XII Ibn Jubayr escreveu lírica e longamente sobre a "perfeição da construção em sua maravilhosa e suntuosa decoração e ornamentação", descrevendo o *mirhab* (o nicho de orações) como "o mais lindo de todo o Islã em sua beleza e refinada arte".

Enquanto lar dessa admirável mesquita, a cidade de Damasco era reverenciada como um lugar de particular significado devocional dentro do Islã. A santidade da cidade foi incrementada pela presença próxima de muitas grutas-santuários – inclusive uma que se supõe ter sido local de nascimento de Abraão, e outra que dizia ter sido visitada por Moisés, Jesus, Ló e Jó (todos conhecidos no Islã como profetas). Os membros da família de Maomé e seu círculo íntimo também foram enterrados em Damasco, e, ainda mais, alguns acreditavam que o próprio Messias desceria na Terra no dia do julgamento pelo minarete branco da cidade sobre o portão leste.

Imbuída como estava de significado histórico e espiritual, a Damasco conquistada por Nur al-Din em 1154 necessitava de rejuvenescimento. O emir se pôs a trabalhar, fortificando a cidadela seljúcida, a leste da Grande Mesquita (que datava originalmente do final do século XI), e reformou e consolidou os muros da cidade. Com o advento do estável governo zênguida, a população damascena, que havia caído em número para cerca de

40 mil pessoas, logo começou a aumentar. O comércio também foi estimulado e o visitante árabe al-Idrisi agora observava que:

> Damasco contém todos os tipos de coisas boas, as ruas com vários artesões, com mercadores vendendo todos os tipos de seda e brocados de belíssima raridade e maravilhosa mão de obra... Aquilo que é produzido aqui é transportado a todas as cidades, e levado de navio a todos os cantos, a todas as capitais, de perto e de longe... A cidade em si é a mais linda de toda a Síria, e a mais perfeita em sua beleza.[16]

Não é de admirar que, com o tempo, Nur al-Din tenha gradualmente passado a sede do poder de Alepo para Damasco. Assim, enquanto Shirkuh havia sido nomeado inicialmente governador da cidade, após 1157 Damasco foi confirmada como nova capital do reino em expansão de Nur al-Din, e promovida como ponto focal da ortodoxia sunita abássida.

DESAFIOS

A década de 1150 viu pouco avanço material para o Islã na *jihad* contra os francos. Mesmo quando Nur al-Din tentava subjugar Damasco, os latinos estavam desfrutando de sua própria sorte renovada. Agora confirmado como único governante, o rei Balduíno III rapidamente alcançou uma vitória profundamente significativa para Jerusalém. O porto de Ascalão havia passado os últimos cinquenta anos em mãos fatímidas, oferecendo aos governantes muçulmanos do Egito uma base econômica e estratégica no sul da Palestina. Em 1150, Balduíno supervisionou a construção de uma fortaleza ao sul de Ascalão, sobre as ruínas de um antigo povoado de Gaza, separando a comunicação por terra entre o porto muçulmano e o Cairo. Em janeiro de 1153, um jovem rei juntou a plena força de seus exércitos para enfrentar a própria Ascalão, finalmente assegurando sua rendição após um cerco árduo de oito meses. O que já fora um dia um portal fatímida para a Terra Santa havia agora se transformado em trampolim para maiores expansões das ambições latinas rumo ao sul e ao próprio Egito. As consequências dessa vitória seriam sentidas de modo agudo nos anos seguintes.

O Principado de Antioquia também havia passado por um rejuvenescimento. Após quatro anos de reinado solitário, a jovem princesa Constância de Antioquia finalmente arrumou um marido, apesar de seu escolhido não ser rico e nem poderoso como ela. Na primavera de 1153, ela se casou com Reinaldo de Châtillon, um belo e jovem cavaleiro franco, cruzado de origem aristocrática, mas com recursos materiais limitados. Após lutar ao lado de Balduíno III nos primeiros estágios do cerco de Ascalão, ele ganhou a permissão do rei, na qualidade de seu suserano e guardião de Constância, para a união. O novo príncipe de Antioquia logo revelou sua natureza instável. Já tendo previamente estimulado interesses bizantinos ao ir de encontro ao poder ascendente do senhor de guerra armênio rubenida Thoros (filho de Leon I), na Cilícia, Reinaldo prontamente se aliou a Thoros para liderar um ataque cruel à ilha de Chipre, governada pelos gregos. Muito criticado por historiadores contemporâneos e modernos por sua ambição indomável, falta de diplomacia e brutalidade tempestuosa, Reinaldo não obstante provou-se um guerreiro formidável que, em sua época, ofereceria oposição implacável ao Islã.

A revitalização de Jerusalém e Antioquia resultou em Nur al-Din recebendo pressão de duas zonas de fronteira essenciais. Ao norte, os eventos se concentravam em Harim. O controle que Nur al-Din tinha sobre esse entreposto – que ficava a apenas um dia de marcha de Antioquia – desde 1149 havia praticamente neutralizado o principado franco enquanto ameaçava Alepo. Em 1156, os latinos começaram a conduzir ataques em seus subúrbios, mas por enquanto estavam sendo refutados com sucesso. Nur al-Din chegou a ter o mórbido prazer de desfilar, triunfante, com as cabeças dos cristãos arrancadas nesses confrontos pelas ruas de Damasco. Enquanto isso, ao sul, Balduíno III rompe a sua trégua com Nur al-Din em 1157, esperando estender a autoridade de Jerusalém sobre a Terre de Sueth. Deu-se então uma série de desentendimentos sem conclusão, especialmente em Banya, tendo à frente os francos, apesar de o rei latino escapar por pouco de ser raptado em junho de 1157, quando foi apanhado em uma emboscada.

Por volta dessa época, contudo, os eventos conspiraram para restringir Nur al-Din. Sempre houve tendência a terremotos na Síria, e agora, no final da década de 1150, a região estava sujeita a uma sucessão de severos tremores que acabou danificando gravemente muitos vilarejos muçulmanos na área entre Alepo e Homs. Um cronista da época em Damasco descreveu como "sucessivos terremotos e tremores (...) causaram a destruição de castelos, fortalezas e habitações muçulmanos em seus distritos e marchas". Ao longo desse período tenebroso, Nur al-Din foi forçado a empregar grande parte de seus recursos em trabalhos de reconstrução, muitos dos quais foram frustrantemente desfeitos por repetidas atividades sísmicas.

Então, em outubro de 1157, Nur al-Din foi abatido por uma doença grave enquanto estava em Summaq. A natureza exata da doença é desconhecida, mas foi tão extrema que o grande emir logo começou a temer por sua vida. Carregado de maca a Alepo, ele rapidamente fez arranjos para seu testamento, designando um de seus irmãos, Nusrat al-Din, como seu herdeiro e senhor de Alepo, enquanto Shirkuh ficaria com Damasco. Apesar dessas medidas, distúrbios civis logo se deflagraram pela Síria muçulmana, e a situação de saúde de Nur al-Din foi se deteriorando durante o outono. Apesar de ele ter sobrevivido ao ataque, sua saúde permaneceu frágil e, no final de 1158, ele voltou a ficar de cama por meses, muito doente, dessa vez em Damasco. Infelizmente, nos faltam testemunhas oculares para avaliar com precisão o impacto desses encontros próximos à morte no estado mental de Nur al-Din. Dizem que ele passou por um despertar espiritual nesses anos, doravante adotando um estilo de vida ascético e usando vestimentas mais simples. É verdade que, a despeito das tensões correntes em relação ao Levante, ele arrumou tempo para executar a *Hajj*, a peregrinação a Meca, no final de 1161.[17]

Ameaças externas

Notícias sobre a debilidade de Nur al-Din – rumores teriam se espalhado de que ele talvez já estivesse morto – chegavam através de diversos espiões, e os francos não perderam tempo; aproveitaram para explorar a confusão que se instalou nas terras do emir. Seu exército foi reforçado pela presença do conde Thierry de Flandres, um poderoso nobre do oeste e veterano da Segunda Cruzada que mais uma vez havia tomado a cruz rumo ao leste. No outono de 1157, suas tropas se juntaram a um exército cristão amalgamado – com elementos de Antioquia, Trípoli,

Jerusalém e uma força armênia liderada por Thoros – em marcha rumo a Xaizar. A torre mais baixa caiu após um breve cerco e os aliados pareciam prestes a tomar a cidadela quando explodiu uma acrimoniosa discussão acerca do controle da fortuna de Thierry e dos recursos para defesa de Ultramar. Balduíno III havia prometido ao conde domínio hereditário de Xaizar, mas Reinaldo de Châtillon questionou a legalidade do plano, alegando que a cidade pertencia a Antioquia. Como nenhum dos dois lados se mostrava disposto a ceder, a ofensiva cristã foi contida e, em meio a recriminações mútuas, os aliados abandonaram o cerco, desperdiçando uma rara oportunidade de reafirmar a autoridade franca sobre o sul de Orontes. Não obstante esse contratempo, os latinos conseguiram se reagrupar no começo de 1158. Reunidos em Antioquia, rumaram para Harim e, após um cerco intenso, forçaram a cidadela a se render. Nessa ocasião não houve qualquer discussão sobre direitos e a cidade foi devolvida ao principado, restaurando, por conseguinte, uma medida de segurança em suas fronteiras ao leste.

Bizâncio também emergiu como uma força bélica no Oriente Próximo no mesmo período. A influência grega na região estivera em suspenso desde a morte do Imperador João Comneno em 1143. O poder havia passado ao seu filho Manuel, que, depois do desastre da Segunda Cruzada, andava às voltas com questões relativas à Itália e aos Bálcãs. No final da década de 1150, Manuel procurou restaurar as relações com os francos depois do estranhamento e desconfiança engendrados entre 1147 e 1148 – reafirmando a autoridade imperial em Antioquia e Cilícia, e estabelecendo relações mais próximas com a Palestina franca. As alianças matrimoniais foram a pedra fundamental desse processo. Em setembro de 1158, o rei Balduíno III casou-se com Teodora, sobrinha de Manuel e membro de alta colocação da dinastia bizantina. Ela trouxe consigo um generoso dote em ouro. O imperador então tratou de casar a irmã de Boemundo III, Maria de Antioquia, em dezembro de 1161.

Para Nur al-Din, a implicação dessas uniões era ao mesmo tempo óbvia e inquietante: Bizâncio, antigo oponente oriental cristão dos muçulmanos, estaria novamente direcionando sua legendária força para o Levante. E se por um lado os latinos representavam ao mesmo tempo uma ameaça e uma irritação para suas ambições, o senhor de Alepo e Damasco parece ter visto nos gregos uma ameaça mais constante e intratável. Perplexidade, apreensão e determinação fundiram-se então para condicionar a reação de Nur al-Din quando Manuel Comneno conduziu um enorme exército pelo norte da Síria em outubro de 1158.

Foi nesse outono que o imperador recebeu a submissão de Reinaldo de Châtillon, aceitando sua penitência pelo recente ataque a Chipre, e domou os cada vez mais independentes armênios rubenidas.

Em abril de 1159, com seus súditos recalcitrantes intimidados, Manuel adentrou a cavalo, em plena majestade, os portões de Antioquia, cercado por sua resplandecente guarda varangiana, acompanhado de seu servo, o príncipe Reinaldo. Até mesmo o rei Balduíno mostrou sua humildade ao seguir mantendo certa distância, montado, mas não adornado com nenhum símbolo oficial. A mensagem era óbvia: como comandante do superpoder cristão do leste do Mediterrâneo, a iminência de Manuel era sem paralelo. Se ele quisesse, podia deixar um rastro de destruição por toda a Síria.

Nur al-Din, que só se recuperou da sua segunda enfermidade prolongada na primavera de 1159, aceitou o desafio de coração e convocou tropas de longe, até mesmo de Mossul, para lutar sob o estandarte da *jihad*, reforçando as fortificações de Alepo. Ainda assim, quando os exércitos cristãos se reuniram em Antioquia no mês de maio sob a liderança de Manuel, preparando-se para um ataque direto à própria Alepo, os muçulmanos certamente estavam em significativa inferioridade numérica. À beira de um confronto tão terrível, um senhor seljúcida extremamente belicoso da laia dos Zengui já teria simplesmente aceitado a luta iminente com orgulho e desafio, e provavelmente acabaria sendo dizimado. Entretanto, ao lidar com Damasco, Nur al-Din mostrou talento para as sutilezas da diplomacia. Agora ele estava determinado a testar o compromisso de Manuel com o prosseguimento de uma campanha custosa na fronteira ao extremo leste de Bizâncio. Nur al-Din enviou representantes para propor uma trégua, oferecendo a libertação de seis mil prisioneiros latinos capturados durante a Segunda Cruzada e o apoio ao império grego contra os seljúcidas de Anatólia. Para a consternação de seus aliados francos, o imperador rapidamente aceitou os termos e ordenou a interrupção imediata da campanha.

Essa alarmante reviravolta dos eventos revela muito. O comportamento de Manuel talvez pudesse ter sido previsto – mais uma vez os interesses de Bizâncio haviam sido priorizados, postos acima dos interesses de Ultramar. Mas a conduta de Nur al-Din revelou que não era um *jihadi* ideologicamente intransigente, cegamente buscando entrar em conflito com a cristandade. Na verdade, ele estava tentando agir de modo pragmático para desarmar um confronto com um dos verdadeiros rivais globais do Islã; os Estados cruzados pareciam quase um espetáculo insignificante e isolado em meio às negociações entre Nur al-Din e Manuel.

Ao longo desses anos, as atitudes de Nur al-Din sugeriam que, não obstante seu aparente despertar espiritual e emergente alinhamento à propaganda da *jihad*, ele continuava a encarar o Ultramar latino como um mero oponente dentre muitos na emaranhada e complexa matriz da política do poder no Oriente Próximo e Médio.

No começo dos anos 1160, ele não fez qualquer tentativa concentrada de exercer pressão direta militar ou diplomática sobre os francos – a bem da verdade, o emir deixou passar duas oportunidades. Em 1160, Reinaldo de Châtillon foi capturado por um dos tenentes de Nur al-Din e encarcerado em Alepo (onde continuaria pelos próximos quinze anos). No entanto, em vez de explorar um período de fraqueza de Antioquia quando o jovem Boemundo III chegou ao poder, Nur al-Din decidiu aceitar uma nova trégua de dois anos com Jerusalém. Depois, no começo de 1163, quando o rei Balduíno III morreu de doença com apenas 33 anos de idade, Nur al-Din novamente deixou de tomar uma atitude. Um cronista latino atribuiu isso ao senso inato de honra do emir, sobre o qual escreveu o seguinte:

> Quando lhe sugeriram que, enquanto estávamos ocupados com as cerimônias fúnebres, ele devia invadir e devastar a terra de seus inimigos, dizem que ele respondeu: "devemos demonstrar empatia por sua dor e poupá-los por piedade, pois eles já perderam um príncipe do tipo que o resto do mundo não tem nos dias de hoje".

Essa citação de Guilherme de Tiro reflete a admiração profundamente arraigada que o arcebispo nutria por Balduíno III, mas fontes árabes não apresentam qualquer indicação de que a decisão de Nur al--Din tenha sido influenciada por compaixão naquele momento. Sua falta de atitude pode ser explicada em parte pelo fato de ele ter começado, como veremos, a voltar sua atenção para o sul, em direção ao Egito. Mas também foi em decorrência de sua persistente preocupação com a Ásia Menor e a Mesopotâmia, e de seu insucesso em priorizar a *jihad* contra os francos.[18]

JULGAMENTO E TRIUNFO

No entanto, a partir da primavera de 1163, a percepção que Nur al-Din tinha do seu próprio papel na guerra pela Terra Santa parece ter mudado, desencadeando um aprofundamento de seu compromisso com a causa. Em maio, o emir liderou um grupo de ataque que invadiu o condado de Trípoli pelo norte e montou acampamento no Vale de Al-Bouqia – a ampla planície entre as Montanhas Ansariyah ao norte e o Monte Líbano ao sul. As notícias de seu paradeiro se espalharam, e os francos de Antioquia, recentemente reforçados por um grupo de peregrinos de Aquitânia e por soldados gregos, decidiram lançar um ataque sob comando do templário Gilberto de Lacy.

Indiferente a essa ameaça, um grupo avançado de tropas zênguidas ficou em choque ao ver um grande exército cristão a partir dos contrafortes da faixa de Ansariyah. Após uma breve escaramuça, foram afugentados e voltaram correndo para o principal acampamento de Nur al-Din, inflamadamente perseguidos pelos inimigos. Um cronista muçulmano viria a descrever como as duas forças "chegaram juntas", ou seja, flagrados de surpresa, "os muçulmanos não conseguiram montar seus cavalos e pegar suas armas antes de serem invadidos pelos francos, que mataram e capturaram muitos". Um latino da época registrou que "o exército de Nur al-Din foi quase aniquilado enquanto o próprio príncipe, lutando desesperadamente pela vida, fugiu totalmente desnorteado. Toda a bagagem e mesmo a sua espada foram abandonadas. Descalço e montado em um burro de carga, ele escapou por pouco de ser capturado". Fontes muçulmanas confirmam a escala de sua derrota e a ignomínia da retirada de Nur al-din, acrescentando que, em seu desespero, ele montou um cavalo que ainda estava mancando de uma perna e foi salvo apenas pela bravura de um de seus curdos, que correu para cortar a corda, arriscando a própria vida.

Atônito e humilhado, Nur al-Din fugiu para Homs com um punhado de sobreviventes. O horror desse pouco divulgado desastre aparentemente deixou uma cicatriz em sua psique, e a natureza de sua reação ao longo dos meses seguintes é reveladora. Tomado pela raiva e por apaixonada determinação, dizem que ele jurou: "em nome de Deus, eu não mais me abrigarei debaixo de teto nenhum até vingar a mim e ao Islã". É provável que isso não passe de invectiva pura, mas depois das palavras veio a ação prática. A um custo significativo, Nur al-Din pagou pela substituição de todos os armamentos, equipamentos e cavalos, tudo do próprio bolso – uma responsabilidade não muito comum entre os senhores de guerra muçulmanos –, de modo que "o exército foi restaurado como se não tivesse sofrido nenhuma derrota". Ele também ordenou que as terras de qualquer soldado morto fossem passadas para suas famílias, ao invés de retornarem ao seu controle. O mais impressionante foi quando o emir se recusou categoricamente a aceitar uma trégua quando os francos o procuraram no final daquele ano.[19]

Nur al-Din procurava agora construir uma coalizão com os muçulmanos do Iraque e de Jazira, juntando um exército imponente para executar um ataque de retaliação contra os latinos. Comentários de sua dedicação sincera ao hábito de jejuar e orar se espalharam por todo o Oriente Próximo, e ele também começou a recrutar ativamente o apoio de ascetas e homens santos da Síria e da Mesopotâmia, estimulando-os a tornar público os múltiplos crimes cometidos pelos latinos contra o Islã. O impulso da deflagração da *jihad* estava ganhando força.

No verão seguinte, Nur al-Din estava pronto para atacar, e seus objetivos estratégicos eram audaciosos. Estimativas numéricas de suas forças talvez não tenham sobrevivido ao tempo, mas sabemos que ele foi acompanhado por tropas de seus próprios territórios sírios, bem como as de cidades do leste, como Mossul, Diar Baquir, Hisn Kifr e Mardin. Ele certamente estava muito confiante acerca da força de seu exército, pois ele se preparou para fazer conquistas territoriais e para atrair os cristãos para uma batalha decisiva. Nur al-Din avançou para Harim, que havia permanecido sob domínio de Antioquia desde 1158, fazendo um cerco à sua cidadela e iniciando uma campanha com maquinário para tal. Como ele provavelmente já previa, os francos não demoraram a revidar. No começo de agosto de 1164, um exército de aproximadamente dez mil homens, incluindo seiscentos cavaleiros, marchou de Antioquia sob comando do príncipe Boemundo III, do conde Raimundo III de Trípoli e de Joscelino III de Courtenay, ao lado de Thoros da Armênia e do governador grego da Cilícia.

Ao saber que eles estavam se aproximando, Nur al-Din marchou com seu exército para Artah, na planície da Antioquia, o mais próximo assentamento comandado por latinos, na esperança de afastar o inimigo da segurança de Antioquia. Então, em 11 de agosto, quando os aliados cristãos faziam uma finta nervosa em direção a Harim, Nur al-Din levou as forças inimigas a um enfrentamento em campo aberto. No começo da batalha, o flanco direito de Nur al-Din simulou uma retirada, provocando os cavaleiros latinos para que fizessem um ataque precipitado. A infantaria cristã foi deixada em situação de isolamento e vulnerabilidade, tendo de enfrentar um ataque arruinador, sendo submetida a uma derrota rápida. Com a maré da batalha virando a favor dos muçulmanos, a elite franca montada reverteu seu avanço impetuoso. Mas então os guerreiros se viram cercados, pois o flanco direito de Nur al-Din parou de fingir que fugia, "para espanto geral", e seu centro voltou pronto para atacar no corpo a corpo. Um cronista árabe escreveu como "o moral dos cristãos desabou e eles viram que estavam perdidos, abandonados no meio do caminho, cercados por muçulmanos por todos os lados". Consternado, um contemporâneo latino reconheceu que: "subjugados e destroçados pelas espadas do inimigo, os francos foram vergonhosamente dizimados como oferendas perante o altar (...) a despeito da honra, todos baixaram as armas precipitadamente e imploraram ignominiosamente por suas vidas". Thoros "fugiu do campo para salvar sua vida, ainda que pagando o preço da vergonha e do opróbrio"; Boemundo, Raimundo e Joscelino se renderam; "acorrentados como os mais inferiores escravos, foram conduzidos ignominiosamente para Alepo, onde foram aprisionados e se tornaram a diversão dos infiéis".

A vitória de Nur al-Din foi absoluta, uma doce vingança por Bouqia. Ele espancou os francos sírios, em uma colheita sem precedentes de cativos de alto nível. Em questão de dias ele estava de volta a Harim, que, agora sem qualquer esperança de reforços, rendeu-se prontamente. A partir de então a cidade permaneceria em mãos muçulmanas, deixando o principado de Antioquia encolhido atrás de uma fronteira ao leste que havia sido definitivamente reconduzida ao rio Orontes. Assim como em 1149, após seu triunfo em Inab, Nur al-Din optou por não atacar a cidade de Antioquia em si. O cronista Ibn al-Athir explicaria posteriormente que o emir foi desencorajado pela força da cidadela e, o que é mais revelador, por sua relutância em provocar um contra-ataque do suserano de Antioquia, o Imperador Manuel – de acordo com o cronista, Nur al-Din teria dito: "acho preferível ter Boemundo como vizinho a ser vizinho do governante de Constantinopla". Tendo isso em mente, Nur al-Din não demorou a autorizar a soltura do jovem príncipe de Antioquia em troca de um substancioso resgate; no entanto, ele se recusou a conceder a liberdade a Raimundo de Trípoli e a Joscelino de Courtenay, bem como a seu outro príncipe prisioneiro, Reinaldo de Châtillon.[20]

Em outubro de 1164, Nur al-Din voltou sua atenção para a fronteira ao sul com Jerusalém. Lá ficava a crucial cidade de Banyas, que estava vulnerável porque seu senhor, o condestável Hunfredo de Toron, estava no Egito com o rei de Jerusalém. O emir entrou com pesado armamento de cerco e começou uma investida, adotando uma combinação de bombardeio incessante e destruição de alicerces para, além de minar a fortaleza, abalar a força de vontade de sua pequena guarda. Também é possível que o comandante de Banya tenha sido corrupto. Dentro de poucos dias foi providenciada uma rendição em termos de salvo-conduto, e então Nur al-Din instalou suas próprias tropas, muito bem abastecidas. Assim como em Harim, a conquista de Banyas acabou sendo uma aquisição permanente para o Islã. O significado dessa reviravolta no equilíbrio de poder da região se refletiu nos termos punitivos que Nur al-Din impôs aos francos da Galileia – uma parte dos rendimentos de Tiberíades e o pagamento de um imposto anual. Três anos depois, o emir deu prosseguimento a esse sucesso destruindo a fortaleza latina em Chastel Neuf. Com isso, um novo corredor para a Palestina franca se abriu pela área de colinas íngremes conhecida como Marj Ayun, entre o vale Litani e o Alto Jordão. Não restava mais dúvida de que Nur al-Din era uma ameaça real para Ultramar.

O SONHO DE JERUSALÉM

As ações de Nur al-Din nos anos 1160 sugerem que ele havia adotado uma postura mais determinada e agressiva ao lidar com os francos, assumindo e promovendo uma *jihad* atuante contra eles. Desde que ocupara Damasco em 1154, ele vinha financiando um monumental programa de construção dentro da cidade, rejuvenescendo e reafirmando seu status como um dos grandes centros de poder e civilização do Oriente Próximo. O programa começou de modo quase imediato com a construção de um novo hospital, o *Bimaristan* – que logo se tornaria um dos centros de ciência e tratamento médico de maior destaque do mundo – e uma sofisticada casa de banho, *Hammam Nur al-Din*, que continua sem maiores alterações e ainda hoje pode ser visitada.

A partir do final da década de 1150, contudo, esses trabalhos públicos eram cada vez mais imbuídos de uma dimensão devocional inspirada por e/ou projetada para declarar o senso de religiosidade de Nur al-Din (que se aprofundava paulatinamente) e sua preocupação com a ortodoxia sunita. Em 1163, ele financiou a construção de uma nova Casa da Justiça, onde viria a receber seus súditos dois dias por semana para ouvir suas reclamações. Depois disso viria a construção do *Dar al-hadith al-Nuriyya* – um novo centro dedicado ao estudo da vida e tradições associadas a Maomé –, capitaneado por Ibn 'Asakir, renomado erudito e amigo próximo, que o atendia pessoalmente.

Para promover Damasco como núcleo do Islã sunita, Nur al-Din construiu um novo subúrbio, a oeste da cidade, para abrigar peregrinos a caminho de Meca, e em 1159 ele fundou a cidade de al-Salahiyya, a pouco mais de um quilômetro e meio ao norte, para abrigar refugiados da Palestina. A corte damascena de Nur al-Din não tardou a convocar especialistas de todo o mundo muçulmano nas áreas de governança, lei e guerra. Entre eles estava o intelectual persa Imad al-Din al-Isfahani, que viria a escrever algumas das histórias árabes mais líricas e elucidativas dessa era. Educado em Bagdá, ele se juntou ao emir como *katib* (secretário/acadêmico) em

1167, e viria a descrever seu novo patrono como "o mais casto, piedoso, sagaz, puro e virtuoso dentre os reis".

Durante esse período, Nur al-Din projetou uma imagem de si mesmo como muçulmano devoto, revigorador da lei e da ortodoxia sunita. É revelador que o mais potente e portátil instrumento de propaganda disponível para si – as moedas por ele cunhadas – trouxessem a inscrição "O Rei Justo". A partir do começo da década de 1160, entretanto, há indicações de que ele empregou maior ênfase no papel de *jihad* durante sua administração, proclamando suas virtudes de herói *mujahid* em inscrições que adornavam monumentos públicos. A posição proeminente de Jerusalém dentro do contexto da ideologia da *jihad* também começou a se cristalizar nesse período. Seu colega, o emir Ibn 'Asakir, ajudou a revitalizar a tradição de escrever textos exaltando as virtudes da cidade sagrada e levando esses trabalhos para serem recitados em grandes reuniões em Damasco. Poetas da corte de Nur al-Din compuseram trabalhos amplamente divulgados que enfatizavam a necessidade não apenas de atacar os latinos, mas também reconquistar a terceira cidade islâmica. Um deles escreveu encorajando seu patrono a declarar guerra contra os francos, "até podermos ver Jesus fugindo de Jerusalém". Ibn al-Qaysarani, que também havia servido a Zengui, anunciou o seu desejo de que "a cidade de Jerusalém seja purificada pelo derramamento de sangue", proclamando que "Nur al-Din nunca esteve mais forte e o ferro de sua lança está apontando para Aqsa". O próprio emir escreveu para o califa de Bagdá sobre seu desejo de "banir da mesquita de Al-Aqsa os adoradores da cruz".

Outra prova atesta o papel central e paulatino de Jerusalém, tanto dentro da ideologia propagada por Nur al-Din como por suas próprias ambições mais profundas. Entre 1168 e 1169, ele encarregou o mestre carpinteiro al-Akharani de esculpir um *minbar* (púlpito de madeira) fabulosamente adornado que o emir pretendia colocar na mesquita de Aqsa assim que a cidade sagrada fosse retomada. Alguns anos mais tarde, o viajante muçulmano ibérico Ibn Jubayr observou a extraordinária beleza do púlpito quando passou pelo Levante, declarando que sua grandeza estava acima de todos os demais no mundo medieval. Não resta dúvida de que esse *minbar* foi projetado como uma declaração de intenções potente e pública, até por trazer em seus adornos uma descrição do emir como "o lutador da *jihad* em seu caminho, aquele que defende o povo da fronteira contra os inimigos de sua religião, o rei justo, Nur al-Din, o Pilar do Islã e dos muçulmanos, o distribuidor de Justiça". Não obstante, em alguns aspectos, o *minbar* também deve ser visto como uma oferenda a Deus de caráter intensamente pessoal, quase humilde, pois nele também estavam escritas as seguintes palavras, simples e emotivas: "Que o Senhor conceda a vitória a Nur al-Din, e em suas mãos". Assim que o púlpito ficou pronto, o emir o instalou na Grande Mesquita de Alepo, onde, de acordo com Imad al-Din, permaneceu "embrulhado como uma espada no coldre", aguardando o dia da vitória, quando Nur al-Din alcançaria o sonho da recuperação de Jerusalém.[21]

Como então devemos considerar Nur al-Din? Seriam seus ataques aos francos após a humilhação em Bouqia e sua disseminação da ideologia *jihad* provas de seu compromisso inequívoco para com a guerra santa? Será que as palavras do emir – registradas na Crônica de Damasco – deveriam ser interpretadas ao pé da letra? Dizem que ele teria declarado:

> Não quero nada além de fazer o bem aos muçulmanos e guerrear contra os francos... [Se] nos ajudamos mutuamente a lutar a guerra santa, e as coisas forem arranjadas harmoniosamente e com um único olho para o bem, meu desejo e propósito terão sido alcançados plenamente.[22]

Havia uma diferença marcante entre a abordagem de Nur al-Din, seu foco nos anos 1140 e suas atividades nos anos 1160. A comparação com os métodos e conquistas de seu pai, Zengui, é notável. No entanto permanecem alguns pontos de interrogação e ressalvas. Considerando-se o contexto e as complexidades da natureza humana, é errado alimentar qualquer expectativa de uma solução singular – seja Nur al-Din tendo se motivado por sua total dedicação à *jihad* ou por estar meramente servindo aos próprios interesses. Assim como os primeiros cruzados cristãos aparentemente se motivaram por uma mistura de religiosidade e cobiça, Nur al-Din pode muito bem ter reconhecido o valor político e militar de fazer uma campanha por uma causa religiosa, e ainda assim ser impelido por uma fé autêntica. Da mesma forma que os orgulhosos senhores de guerra turcos no mundo do Oriente Próximo e Médio eram sustentados pelas elites árabes e persas, a necessidade que os zênguidas tinham de legitimação social, religiosa e política certamente deve ter exercido pressão.

Ao longo do século XII se enraizou no Levante a concepção de renascimento da *jihad* islâmica, e esse processo se acelerou de modo quase exponencial durante a carreira de Nur al-Din. Em 1105, quando o pregador damasceno al-Sulami exaltou as virtudes da guerra santa, a repercussão foi baixíssima. No final da década de 1160, a atmosfera em Damasco e Alepo havia passado por uma transformação – Nur al-Din bem pôde ter cultivado e inspirado esse fervor; no mínimo, ele entendia que uma mensagem enfatizando a dimensão espiritual das batalhas contra os inimigos do Islã sunita agora encontraria público receptivo.

9. A RIQUEZA DO EGITO

Durante a maior parte dos anos 1160, o conflito entre o Islã zênguida e os francos levantinos foi centrado no Egito, pois ambos os poderes tentavam ganhar controle sobre a região do Nilo. Em termos estratégicos, dominar o Egito permitiria que Nur al-Din efetivamente circundasse Ultramar – com o controle de Alepo e Damasco garantido, acrescentar o Cairo desestabilizaria a balança do poder no Oriente Próximo irrevogavelmente a seu favor. Já fazia muito tempo que a divisão entre a Síria sunita e o Egito xiita minava qualquer esperança de motivação conjunta para derrotar os latinos. Se houvesse maneira de superar essa rixa, o mundo islâmico estaria unido pela primeira vez desde o advento das cruzadas.

A fabulosa riqueza do Nilo era outra tentação. A grande cheia anual de agosto do grande rio trazia enorme fertilidade à terra árabe ao longo de suas margens por todo o Delta do Nilo. Em um ano bom, o Egito desfrutava de uma agricultura tão abundante que aumentava bastante o faturamento com impostos. A região também desfrutava de um comércio emergente entre o Oceano Índico e o Mar Mediterrâneo, pois a rota imprescindível por terra conectava o Egito de um lado a outro. Popular entre mercadores italianos e bizantinos, a região do Nilo se tornou um dos maiores centros comerciais do mundo.

EGITO MEDIEVAL

O Egito é frequentemente caracterizado como tendo sido território muçulmano na época das cruzadas, mas essa é uma simplificação que induz ao erro. A região foi conquistada no ano 641 da era cristã, durante a primeira onda da expansão islâmica, mas a elite árabe dominante estava vastamente concentrada em dois centros: a cidade portuária de Alexandria, fundada por Alexandre, o Grande, cerca de 1500 anos antes; e o novo assentamento de Fustat, estabelecido pelos árabes na cabeça do Delta do Nilo. Nos demais lugares, predominava a população cristã autóctone do Egito. Ao longo de séculos, os coptas foram arabizados no sentido cultural, como quando assimilaram o idioma árabe, mas sua aceitação da fé islâmica foi bem mais gradual. Até mesmo no século XII ainda existia uma espécie de subclasse rural cristã copta.

O Egito foi governado a partir de 969 pela dinastia fatímida xiita que rompeu com os governantes abássidas sunitas de Bagdá. Os fatímidas construíram uma força naval formidável, com a qual vieram a dominar a navegação no Mediterrâneo. Eles também construíram uma nova cidade capital ao norte de Fustat que acabou sendo chamada de Cairo (que significa "O Conquistador"), e estabeleceram um califa xiita rival ("sucessor" do profeta muçulmano Maomé), desafiando a autoridade universal do califa sunita em Bagdá. No século XII, a cidade do Cairo era o coração político do Egito. Nela, dois labirínticos e fabulosamente nababescos palácios de califa serviram de testemunha da riqueza sem limites – abrigando coleções de animais exóticos e hordas de eunucos da corte. A cidade também era lar da Mesquita al-Azhar, do século X, conhecida como centro de erudição e estudo teológico islâmico, enquanto no final de um canal que corria para o Nilo, na pequena ilha de Roda, ficava o Nilômetro, uma estrutura cuidadosamente calibrada para permitir que as cheias do grande rio fossem medidas com precisão e assim fosse possível prever a colheita.

O Cairo se tornou o trono do poder fatímida, mas a antiga Alexandria manteve seu *status* de ponto focal da economia egípcia na era das cruzadas. Esse porto, localizado na costa mediterrânea a oeste do Delta do Nilo e imbuído pela grande magnificência do seu farol, estava perfeitamente posicionado para explorar o comércio de produtos de luxo, como temperos e sedas que vinham da Ásia, passando pelo Mar Vermelho até chegar à Europa. Um latino que vivia na Palestina à época observou que "Alexandria está sempre repleta de pessoas do leste e do oeste; é um mercado público para ambos os mundos".

Na época das cruzadas, a habilidade dos califas fatímidas de exercer poder real sobre a região do Nilo havia diminuído e, em sua maior parte, o Egito era governado pelo administrador-chefe do califa, seu vizir. Após a morte do vizir al-Afdal em 1121, contudo, esse sistema político esmoreceu e o Cairo logo foi tomado pela intriga. Um ciclo tóxico de conspiração dissoluta somado a brutalidade e assassinatos desenfreados acabou deixando o Egito fatímida de joelhos. Como observou um cronista muçulmano, "o vizirado no Egito era o prêmio de qualquer um que fosse mais forte. Os califas eram deixados por detrás do véu e os vizires eram governadores *de facto* [...] era raro que alguém alcançasse algum cargo de poder a não ser lutando e matando e por meios semelhantes". Assolado pela instabilidade política, a região do Nilo entrou em declínio, e deixaram que se degradasse a antes tão grandiosa frota fatímida. Nesse contexto de fraqueza endêmica, não era de admirar que os poderes dominantes da Síria e da Palestina começassem a considerar o Egito como alvo principal.[23]

O NOVO CAMPO DE BATALHA

No começo dos anos 1160, o Egito estava mergulhando cada vez mais fundo no caos. Em 1163, o poder nominal estava nas mãos de um garoto de onze anos de idade, o califa al-Adid (1160-71), enquanto o vizirado era mantido pelo ex-governador do norte do Egito, Shawar. Ele chegou ao poder no começo de 1163, mas oito meses depois foi deposto por seu camareiro árabe, Dirgham. Shawar conseguiu escapar com vida para Síria e, como tantos dos usurpadores antes dele, Dirgham "executou muitos dos emires egípcios para exterminar das terras qualquer rival". Após décadas de lutas internas, o país havia agora praticamente exterminado sua elite dominante. Com esse Estado enfraquecido, o Egito estava desesperadamente vulnerável ao predatismo dos vizinhos cristãos e muçulmanos.

Fazia alguns anos que o reino de Jerusalém vinha demonstrando um interesse crescente na região. A conquista de Ascalão em 1153 abriu a estrada no litoral para o sul da Palestina – conhecida como a *Via Maris* – e em 1160 o rei Balduíno III ameaçou invadir, contudo suspendeu os planos com a promessa do pagamento de um tributo anual de 160 mil dinares de ouro. Então, mediante sua morte prematura em 1163, o rei (que não tinha filhos) foi sucedido por seu irmão mais novo, Amalrico. O grande historiador latino de Ultramar, Guilherme de Tiro, que ganhou destaque com o apoio desse novo rei, escreveu um perfil sobre o novo monarca de uma franqueza intrigante. Amalrico, que estava com 27 anos de idade, foi descrito como "um homem de prudência e discrição", que não tinha o charme e a eloquência de seu antecessor, em parte porque sofria de uma leve gagueira. Fisicamente, tinha "peso considerável", "olhos reluzentes", "barba bem farta" e cabelo louro com leves entradas. Guilherme elogiou seu porte "régio", mas reconheceu que, a despeito de seu consumo extremamente moderado de comida e vinho, o rei "era gordo demais, com seios iguais aos das mulheres, e alcançando a cintura".[24]

Um dos primeiros objetivos de Amalrico como monarca foi reafirmar o domínio de Jerusalém sobre o Egito, com um cerco – ainda que frustrado – à cidade de Bilbais, que fica às margens de um dos afluentes do Nilo. Apesar de os latinos terem sido forçados a recuar, ao longo dos anos seguintes o rei franco dedicaria boa parte de sua energia e de seus recursos na disputa pelo poder no Egito.

As campanhas egípcias de Shirkuh ibn Shadi

A atenção de Nur al-Din também estava se voltando para o sul. Mais para o fim de 1163, Shawar, o vizir deposto, chegou a Damasco com a esperança de garantir apoio político e militar para um contragolpe. Alguns historiadores às vezes elogiam a decisão de Nur al-Din de apoiá-lo como sendo visionária, alegando que ele aceitou prontamente a oportunidade de fazer uma nova guerra a distância contra os latinos em solo egípcio, isso enquanto ele sonhava com o momento em que o governo de Alepo, Damasco e Cairo fosse um só, cercando, portanto, a Palestina franca.

De fato, no começo Nur al-Din foi reticente. Ciente de que um prolongado envolvimento no norte da África consumiria recursos enquanto estaria lutando para consolidar seu poder sobre a Síria, duvidava da confiabilidade de Shawar enquanto aliado (apesar de Shawar ter prometido recompensar Nur al-Din com um terço dos rendimentos do Egito com grãos). Mas, após alguns meses, o emir foi persuadido a agir. A escolha de Nur al-Din foi tomada em parte por imperativos estratégicos, pois, se deixados sem resistência, os francos hierosolimitanos podiam ganhar um inexpugnável ponto de apoio na região do Nilo, com consequências desastrosas para o equilíbrio geral do poder no Levante. Entretanto, ele também estava correspondendo às ambições de seu tenente curdo de longa data, Shirkuh, uma espécie de veterano deformado, que se juntou a Zengui na década de 1130 e depois permaneceu fiel a Nur al-Din. Até mesmo um latino contemporâneo reconheceu que, apesar de cego de um dos olhos por causa de uma catarata, "de baixa estatura, muito robusto, gordo e de idade já avançada", Shirkuh era temido e respeitado como um "guerreiro capaz e enérgico, com fome de glória e ampla experiência em questões militares". Esse astuto veterano já havia ascendido a uma posição de poder dentro do círculo interno de Nur al-Din, mas no Egito ele viu maiores oportunidades de desenvolvimento. Cronistas muçulmanos o descreviam como tendo "grande avidez" de liderar as forças norte da África adentro, e ele desempenhou um papel decisivo para reanimar e formatar o envolvimento zênguida na região durante os anos seguintes.[25]

Em abril de 1164, Nur al-Din confiou a Shirkuh o comando de uma força bem equipada e de porte considerável, instruindo-o a "reconduzir Shawar ao poder". No início, a campanha rapidamente invadiu o Egito, tentando tomar o controle da cidade de Fustat, ao sul do Cairo. Ao final de maio, Dirgham estava morto, atingido por uma flecha perdida de um de seus próprios homens durante uma batalha, e o califa restabeleceu Shawar ao cargo de vizir. Mas após esse sucesso inicial, as relações entre os aliados se deterioraram. Shawar tentou subornar Shirkuh a deixar o Egito com a promessa de 30 mil dinares de ouro, mas o comandante curdo não aceitou.

O vizir recém-empossado agora demonstrava justamente o tipo de fidelidade elástica que Nur al-Din havia temido, convidando Amalrico de Jerusalém para acudir o Egito com a promessa de generosas recompensas financeiras. O rei franco aquiesceu de boa vontade, marchando para se juntar a Shawar em meados do verão de 1164 e cercou Shirkuh, que havia se refugiado em Bilbais. A cidade estava parcamente fortificada, tinha muros baixos e não tinha fosso, no entanto Shirkuh organizou uma defesa disciplinada e durante três meses se deu o cerco. Até que em outubro, Amalrico recebeu notícias das vitórias de Nur al-Din em Harim e Banyas, e correu para negociar a interrupção das hostilidades no Egito, de modo que tanto latinos quantos sírios tiveram permissão para retornar para suas próprias terras em paz, e Shawar ficou com o controle do Cairo.

Dizem que, nos anos seguintes, Shirkuh "continuou falando sobre o projeto de invadir (o Egito)". Em 1167, o senhor de guerra curdo já havia reunido uma força invasora para derrotar Shawar. Shirkuh estava agora agindo de modo cada vez mais independente e, apesar de Nur al-Din ter enviado vários senhores de guerra para acompanhá-lo, o emir aparentemente "não gostou do plano" de atacar o Egito. Também se juntou à campanha um astro em ascensão na corte damascena, o sobrinho de 29 anos de Shirkuh, Yusuf ibn Ayyub. Conhecido como um dos parceiros de polo favoritos de Nur al-Din, Yusuf pode ter lutado na Batalha de Harim em 1164 e foi, no ano seguinte, nomeado *shihna* de Damasco (o equivalente a um chefe de polícia), e foi nesse posto que ele adquiriu a reputação de firme cumpridor da lei e, talvez sem tanta certeza, por extorquir dinheiro de prostitutas.

Em janeiro de 1167, Shirkuh conduziu suas forças armadas pela Península do Sinai. Essa ameaça instigou Shawar a fazer da Palestina mais um apelo por ajuda, prometendo, em seu extremo desespero, pagar aos francos a impressionante soma de 400 mil dinares de ouro. Amalrico marchou devidamente para o Egito em fevereiro, e assim o norte da África mais uma vez se tornou um campo de batalha alternativo em uma luta mais ampla entre a Síria muçulmana e o Ultramar. Os dois lados se chocaram em uma batalha inconclusiva naquele mês de maio em al-Babayn, no deserto bem ao sul do Cairo, e Yusuf mais tarde provou sua competência como comandante militar durante um cerco extenuante a Alexandria, mas nem os francos e nem os sírios conseguiram conquistar uma vitória definitiva.

Exatamente como havia ocorrido em 1164, Shirkuh se arrastou de volta para a Síria com poucos resultados de seus esforços a mostrar. Shawar se manteve no poder, e os eventos recentes só haviam servido para aumentar a influência dos francos na região, pois Amalrico concordou com o novo pacto com o vizir que garantia um tributo anual de 100 mil dinares, e a nomeação de um prefeito latino, bem como a formação de uma guarda latina dentro do próprio Cairo. O Egito era agora um estado-cliente do reino de Jerusalém. Mas longe de punir Shirkuh por seu fracasso, Nur al-Din o recompensou com o comando de Homs e concedeu a Yusuf ibn Ayyub terras dos arredores de Alepo. Pelo menos por enquanto, o senhor de Damasco estava evidentemente disposto a redirecionar as energias desses dois comandantes curdos em direção a questões relacionadas à Síria, mantendo-os por perto para monitorar qualquer tendência à independência.

Essa situação podia muito bem ter perdurado, para a suprema frustração das ambições egípcias de Shirkuh, se não fosse a excessiva autoconfiança de Amalrico. Fazia alguns anos que o rei vinha tentando forjar laços mais próximos com Bizâncio, em parte para garantir a participação da Grécia em uma invasão conjunta ao norte da África, e os primeiros frutos dessa diplomacia vieram no final de agosto de 1167, quando ele se casou com Maria Comnena, sobrinha do Imperador Manuel.

Planos detalhados para uma expedição conjunta foram discutidos, e Guilherme de Tiro foi enviado como representante especial a Constantinopla para finalizar os termos. Quando ele retornou no outono de 1168, contudo, Amalrico já havia agido. O rei havia apostado que poderia prevalecer sem ajuda dos gregos e, assim, prevenir qualquer necessidade de dividir as riquezas do Egito com Manuel. Descontente com o status de cliente do Egito, Amalrico tentou conquistar o Nilo. Contando com o apoio declarado dos hospitalários, ele lançou uma invasão de surpresa no final de outubro, marchando de Ascalão para atacar Bilbais. A cidade caiu poucos dias depois, em 4 de novembro, e os francos começaram um saque sangrento e transitório, poupando poucos dentre a população e pilhando o quanto queriam.

Na sequência dessa vitória de abertura, contudo, a ofensiva latina se revelou. Amalrico talvez tenha tido a esperança de que um ataque súbito e brutal fosse destroçar a resistência egípcia, mas na verdade sua traição da trégua com Cairo e o choque causado pela ferocidade desenfreada dos francos em Bilbais endureceu a oposição muçulmana ao longo da região do rio Nilo. Para piorar a situação, o rei agora havia diminuído o passo da invasão, talvez acreditando que o vizir Shawar fosse se render prontamente, e Amalrico se deixou bloquear para ofertas de negociação e promessas de novos tributos. Na verdade, toda a estratégia do rei no final de 1168 tinha sido baseada em um terrível erro de cálculo. Acreditando que os eventos de 1167 haviam levado a uma divisão entre Cairo e Damasco, ele pensou que Shawar estaria desprovido de aliados e, portanto, vulnerável, mas havia subestimado a agilidade diplomática do vizir e a ambição zênguida.

O retorno ao Nilo

Quando os francos atacaram o Egito, Shawar enviou uma enxurrada de mensagens a Nur al-Din, implorando por assistência e, não obstante seu receio de antes acerca do envolvimento em questões do norte da África, o emir agora reagia com deliberação célere e certeira. No começo de dezembro de 1168, uma força armada expedicionária síria plena – incluindo sete mil soldados a cavalo e mais centenas de homens de infantaria – se reuniu no sul de Damasco. Shirkuh recebeu comando geral, um orçamento de guerra de 200 mil dinares e patrocínio total do tesouro para equipar seu exército. Mas, para restringir a capacidade curda de ações independentes em benefício próprio, Nur al-Din também tratou de mandar alguns senhores de guerra de confiança, incluindo o turco Aun al-Daulah. Independentemente de sua ligação familiar, parece que Nur al-Din também confiava consideravelmente no sobrinho de Shirkuh, Yusuf ibn Ayyub, que, ao que tudo indica, só retornou ao Nilo após muita persuasão, assombrado que estava por memórias sombrias do cerco a Alexandria.

Quando Amalrico ficou sabendo que Shirkuh estava marchando pelo Sinai liderando "uma quantidade incalculável de homens", o rei latino ficou horrorizado. Apressando-se para reunir suas forças armadas em Bilbais, Amalrico marchou para o leste deserto adentro no final de dezembro, na esperança de interceptar os sírios antes que eles juntassem forças com Shawar. No entanto, chegou tarde demais. Observadores relataram na época que Shirkuh já havia atravessado o Nilo, e Amalrico, pensando que agora se encontrava em assombrosa desvantagem numérica, tomou a difícil e humilhante decisão de se retirar à Palestina de mãos vazias.[26]

O Egito, pelo menos, estava aberto para Shirkuh, e ele não precisou perder muito tempo afirmando sua posição vantajosa. Nos primeiros dias de janeiro de 1169, Shawar fez desesperadas tentativas de negociar os termos, mas sua base de apoio político e militar era vacilante. Sua política de aliança com os francos – que havia incluído a profundamente impopular, até mesmo escandalosa, concessão de abertura do Cairo para soldados latinos – estava arruinada. Shirkuh representava a Síria sunita, tradicional inimiga dos fatímidas xiitas, mas para muitos na capital egípcia ele era mesmo assim preferível aos cristãos de Jerusalém, e em 10 de janeiro o califa al-Adid parece ter informado em privado seu apoio ao curdo. Em uma manhã nebulosa oito dias depois, um confiante Shawar saiu a cavalo para continuar as conversas no acampamento de Shirkuh e foi atacado; teve o cavalo tomado por Yusuf ibn Ayyub e por outro sírio, Jurdik. Dentro de poucas horas, o vizir havia sido executado, e sua cabeça, colocada perante o califa. Contudo, ainda agora, o sucesso da Síria não estava garantido. Quando estava viajando pelo Cairo para ser nomeado primeiro-ministro de al-Adid, Shirkuh foi confrontado por uma multidão furiosa. Preso entre as ruas estreitas da Cidade Velha, dizem que ele "teve medo de morrer", mas em um momento de pensamento rápido e sagaz, ele redirecionou o grupo ensandecido para que saqueassem a mansão do falecido Shawar, conseguindo assim alcançar o palácio do califa em segurança.

Em tese, a elevação de Shirkuh ao cargo de vizir fatímida confirmava o poder zênguida na região do Nilo, anunciando uma nova era de unidade muçulmana na qual Alepo, Damasco e Cairo juntariam forças para lutar a *jihad* contra os francos. Fontes muçulmanas contemporâneas indicavam que, pelo menos em público, Nur al-Din celebrou as conquistas de Shirkuh, ordenando que sua "conquista do Egito" fosse proclamada através da Síria, apesar de o emir se preocupar com a futura lealdade de seu tenente. Na verdade, as verdadeiras intenções de Shirkuh nunca foram externadas, pois quase dois meses depois ele morreu de uma infecção aguda supurante na garganta após se fartar de carnes duvidosas.

Registros de detalhes sobre a emergência do sucessor de Shirkuh – tanto enquanto comandante da expedição síria como enquanto vizir – são confusos e contraditórios. Shirkuh havia deixado seu sobrinho curdo, Yusuf ibn Ayyub, veterano de al-Babayn e Alexandria, que devia contar com o apoio da maioria da *entourage* militar pessoal do tio (ou *askar*), composta de quinhentos mamelucos (escravos soldados). Mas havia outros requerentes, talvez mais evidentemente poderosos, incluindo o turco pró-zênguida Ayn al-Daulah, e um dos tenentes de Shirkuh, o talentoso guerreiro curdo al-Mashtub. Depois de um dia de debate e intriga, foi Yusuf quem saiu vitorioso. Demonstrando um dom notável para as sutilezas da política da corte, o sobrinho de Shirkuh manipulava os demais candidatos sírios uns contra os outros, usando de sugestão e insinuações, emergindo assim como o candidato do acordo. Seu porta-voz e advogado durante todo esse processo foi Isa, um eloquente jurista e imã curdo. Apenas Ayn al-Daulah permanecia implacável, retornando a Damasco com a promessa de que jamais serviria a um pretensioso como ele. Ao mesmo tempo, Yusuf mostrou ao califa e a seu círculo interno de conselheiros egípcios uma face diferente – e que os levou a acreditar que, como primeiro-ministro, ele se mostraria maleável e ineficaz, um forasteiro que, mais tarde, devia ser prontamente deposto para dar vez a um renascimento fatímida. No final de março de 1169, seu comando das tropas sírias e nomeação como vizir de al-Adid foram devidamente confirmados.[27]

Qualquer que fossem as expectativas do califa do Egito, Yusuf ibn Ayyub logo revelou suas verdadeiras qualidades, quebrando uma tentativa de golpe e suprimindo brutalmente uma revolta militar com apenas poucos meses no cargo. De fato, nos anos seguintes, ficou claro que suas ambições iam bem além das do seu tio, Shirkuh. Capaz, por sua vez, de extrema inclemência e magnanimidade baseada em princípios, dotado de acuidade política e militar, as conquistas de Yusuf eclipsariam mais ainda as de seu suserano Nur al-Din, oportunamente conquistando para ele a grande denominação pela qual é mais amplamente conhecido na história: *Salah al-Din*, "o deus da fé", ou, no modo ocidental, Saladino.

SALADINO, SENHOR DO EGITO (1169-74)

Apesar do impacto sísmico que ele teria na história e na guerra pela Terra Santa, nenhuma descrição física de Saladino sobreviveu. Em 1169, poucos imaginariam que esse guerreiro curdo de 31 anos de idade estabeleceria os aiúbidas (cujo nome vem de Ayyub, pai de Saladino) como novo poder em ascensão dentro do Islã. Alguns cronistas medievais e muitos historiadores modernos sugeriram que a relação de Saladino com seu suserano sírio Nur al-Din azedou tão logo o primeiro assumiu o cargo de vizir egípcio, que as sombras de conflito iminente entre Cairo e Damasco ficaram imediatamente aparentes. Na realidade, apesar de um nível limitado de fricção durante um período de ajuste inicial, há provas de sobra indicando cooperação contínua e poucas indicações de atitude inicial por parte de Saladino em afirmar independência. O equilíbrio de poder e o entrosamento entre os dois potentados – campões das dinastias zênguida e aiúbida – se transformaria, com o tempo, em uma questão importantíssima, mas em 1169 Saladino tinha preocupações mais urgentes.[28]

Desafios

Após suceder o tio como vizir do califa fatímida al-Adid, as perspectivas de sobrevivência de Saladino eram poucas. Durante os quinze anos anteriores o vizirado havia mudado de mãos nada menos do que oito vezes; partidarismo amargurado, perfídia, traição e assassinato eram características difundidas e arraigadas da política do Cairo. Saladino chegou a esse ambiente volátil e letal como um forasteiro isolado – um curdo sunita em um mundo xiita –, contando com forças armadas e recursos financeiros limitados. É improvável que muitos tenham esperado que ele saísse ganhando.

Na primavera de 1169, o primeiro instinto de Saladino foi reunir prontamente ao seu redor um núcleo interno de apoiadores leais e capazes. Ao longo de sua carreira, ele parece ter depositado grande confiança na fidelidade do sangue; sozinho por completo no Egito, recorreu à família, pedindo a Nur al-Din que permitisse que membros da linhagem aiúbida trocassem a Síria pelo Nilo. Em questão de meses, Saladino foi acompanhado por seu irmão mais velho, Turan-Shah, e o sobrinho Taqi al-Din. Mais tarde outros se juntaram a eles, inclusive o pai de Saladino, al-Adil. Como vizir, Saladino confiou posições chave de poder no Egito aos parentes, mas também conquistou muitos dos *askares* do falecido tio Shirkuh, que era conhecido como Assadiyya – um jogo com seu nome inteiro, Asad al-Din Shirkuh ibn-Shadi.

Entre eles se encontrava o companheiro curdo al-Mashtub, que havia se candidatado ao vizirado; o mameluco contundente e direto Abu'l Haija, o Gordo, que viria a ficar tão obeso que tinha dificuldade de ficar em pé; e o astuto, mas demasiadamente brutal Qaragush, eunuco caucasiano. Nos anos seguintes, esses homens provariam estar entre os tenentes mais fiéis de Saladino. Ele também começou a formar seu próprio *askar*, o Salahiyya. Saladino chegou até a encontrar alguns aliados dentro da própria fracionada corte fatímida. Al-Fadil, escriba, poeta e administrador, nativo de Ascalão, que havia sido empregado por vários vizires, agora passava a servi-lo como seu secretário e confidente pessoal mais próximo. Al-Fadil era um ávido correspondente, e cópias de suas cartas hoje em dia servem como uma coleção vital de provas históricas.

A poucos meses de assumir o vizirado, Saladino necessitou do apoio desses aliados de confiança ao se deparar com uma série de ataques no cargo que ocupava. Ele também revelou uma capacidade de operação política sujeita a nuances ao lidar com essas ameaças – e isso se tornou uma marca típica de sua carreira. Quando necessário, Saladino agia com determinação indômita, mas também era capaz de se valer de cuidado e diplomacia. No começo do verão de 1169, Mutamin, o eunuco líder no palácio do califa, lutou para engendrar um golpe contra Saladino, abrindo canais de negociação com o reino de Jerusalém na esperança de provocar mais uma invasão franca no Egito para derrubar os aiúbidas. Um enviado secreto foi mandado ao Cairo, disfarçado de pedinte, mas ao passar perto de Bilbais um turco sírio observou que ele estava usando sandálias novas, cuja boa qualidade não combinava com sua aparência esfarrapada. Levantadas as suspeitas, o agente foi preso e as cartas aos francos foram descobertas, costuradas dentro dos seus calçados, revelando o plano. Saladino restringiu a independência da corte fatímida, executou o eunuco Mutamin em agosto e o substituiu por Qaragush, que a partir de então presidiu todos os assuntos palacianos.[29]

A severa intervenção de Saladino suscitou um surto de agitação entre a guarda militar do Cairo. A cidade estava lotada com cerca de 50 mil soldados negros do Sudão, cuja lealdade ao califa os tornava inimigos perigosos da autoridade aiúbida. As tropas se revoltaram por dois dias pelas ruas, marchando em direção à posição de Saladino no palácio do vizir. Abu'l Haija, o Gordo, foi enviado para conter o avanço da tropa, mas Saladino sabia que ele não tinha a força humana necessária para prevalecer em combate aberto, e logo adotou táticas menos diretas. A maioria dos sudaneses vivia com suas famílias no quarteirão al-Mansura do Cairo. Saladino ordenou que toda a área fosse incendiada, de acordo com o contemporâneo muçulmano, "para queimar as posses, os filhos e as mulheres dos soldados rebeldes". Com o moral despedaçado por essa atrocidade inominável, ou sudaneses concordaram em fazer uma trégua, que supostamente garantia passagem segura para fora da cidade em direção ao sul. Partindo em grupos menores e desorganizados, eles sofreram ataques traiçoeiros de Turan-Shah e foram, assim, praticamente aniquilados.

Saladino continuou a usar de retaliação a sangue-frio quando achava que a situação assim exigia, mas com frequência adotava métodos mais sutis e pacíficos de lidar com seus oponentes. Uma vez empossado como vizir fatímida, Saladino se deparou com a constante pressão que vinha tanto do califa de Bagdá quanto de Nur al-Din em Damasco, no sentido de depor o califa xiita do Egito, que aos olhos da ortodoxia sunita não passava de um herege. Mas Saladino resistiu, e não fez nenhum movimento descuidado para derrubar al-Adid, pelo contrário, cultivou uma aliança à época benéfica com o jovem governante – uma aliança que talvez tenha sido sombreada por algum nível de real amizade. A posição de Saladino na região do Nilo era precária demais para arriscar uma revolução dinástica direta. Para perdurar como vizir, ele reconheceu que, para começo de conversa, precisava da medida da estabilidade e, mais importante ainda, da abundante vantagem financeira que acompanhava o apoio do califa.

Essa política mostrou o seu valor no final do verão de 1169. Ainda ressentindo com a humilhação de sua retirada do Egito no inverno anterior, o rei Amalrico de Jerusalém escolheu esse momento para desencadear outro ataque, desta vez tendo como alvo o porto de Damieta, nos recônditos ao leste do Delta do Nilo, com a ajuda de uma monumental frota bizantina. Esse ataque representou uma grande ameaça a Saladino, que se mostrou mais capaz de encarar o desafio do que o esperado. Ele criou e equipou uma enorme força armada, financiada por uma colossal soma de um milhão de dinares de ouro do tesouro de al-Adid. Em vez de comandar a ajuda a Damieta em pessoa, deixando o Cairo como presa fácil de uma revolta, Saladino teve a sabedoria de convocar seu sobrinho, Taqi al-Din, enquanto permanecia na capital. Quando sua força armada se juntou com as tropas sírias enviadas por Nur al-Din, Amalrico viu que estava em desvantagem numérica e, incapaz de coordenar adequadamente as operações militares latinas e gregas, sua ofensiva desabou. Essa vitória muçulmana efetivamente encerrou a disputa pelo controle do Egito, travada contra os latinos durante a década de 1160. Os francos continuaram a sonhar com a conquista do Nilo, mas por enquanto essa região permanecia nas garras do Islã e de Saladino.[30]

Após suportar os desafios iniciais de seu primeiro ano como vizir, Saladino – repetindo a abordagem de Nur al-Din ao exercício do poder – iniciou programas de rejuvenescimento religioso e civil. As fortificações de Alexandria foram reforçadas, enquanto no Cairo e no subúrbio de Fustat, ao sul, novos centros da lei islâmica sunita foram erguidos. Saladino depois aboliu a taxação não corânica do comércio no Egito (apesar de ele ter aumentado outras formas de imposto para compensar a queda na entrada de dinheiro). Em novembro de 1170, ele aparentemente também tomou o manto de *mujahid*, liderando sua primeira invasão à Palestina franca. Comandando um exército de tamanho considerável, Saladino atacou a pequena fortaleza latina de Darun, bem ao sul de Gaza, entrando em conflito com a mal ajambrada força de ajuda do rei Amalrico antes de marchar para a costa do Mar Vermelho para ocupar o porto de Aqaba. Apesar de os ataques terem sido evidentemente voltados para os cristãos durante essa campanha, o objetivo primário de Saladino pode ter sido fortalecer a rota por terra entre a região do Nilo e Damasco, e provavelmente seria errado considerar esta empreitada como o primeiro florescer de sua dedicação à guerra santa.

TENENTE OU COMANDANTE

À medida que o controle de Saladino se solidificava no Egito, sua continuada falta de independência ganhou foco mais incisivo. Ele era um senhor de guerra sunita, seu poder e seus recursos estavam crescendo, no entanto ele ainda era apenas o segundo na linha de comando do califa xiita, e estava preso por laços de subserviência a Nur al-Din. A cautela fez bem a Saladino até este ponto, mas no final do verão de 1171, com seu poder sobre o Cairo garantido, ele estava pronto para expulsar os fatímidas. Entretanto, ele ainda se movia com notável restrição, renunciando largamente às aberrações tradicionais da política egípcia – golpes de estado sangrentos e assassinatos em massa. Tal abordagem era, em parte, possível devido à saúde fraca do jovem califa al-Adid. Por volta do final de agosto ele contraiu uma doença severa e, apesar de mal ter chegado aos vinte anos de idade, logo estava às portas da morte.[31]

Na sexta-feira de 10 de dezembro de 1171, Saladino deu seu primeiro passo cauteloso em direção à autonomia. Durante séculos, o nome do califa xiita ecoara pelas mesquitas egípcias durante a prece de sexta-feira, recitado em reconhecimento e honra de sua autoridade fatímida. Nesse dia, em Fustat, entretanto, o nome de al-Adid foi substituído pelo do califa abássida sunita de Bagdá. Saladino estava sentindo o clima, aferindo se viria a seguir uma rebelião aberta antes de mostrar sua mão no próprio Cairo, mas não houve nenhuma rebelião. No dia seguinte, ele comandou uma imponente parada militar na capital; toda a pujança de seus exércitos ocupou as ruas em marcha, levando seu secretário al-Fadil a registrar que "nenhum rei do Islã jamais possuiu uma força armada como essa". Para seus súditos egípcios, embaixadores gregos e latinos que por acaso estavam visitando o Cairo nesse momento, a mensagem foi inequívoca: Saladino agora era o senhor do Egito. Notícias desses eventos alcançaram al-Adid em seu leito de morte e ele implorou a Saladino, ainda nominalmente seu vizir, que fosse à cabeceira de sua cama, na esperança de poupar seus familiares. Temendo um plano contra si, Saladino se recusou a ir – apesar de, segundo relatos, ele mais tarde ter se arrependido dessa dura decisão –, e o califa faleceu em 13 de setembro. Saladino acompanhou seu corpo no enterro de modo espetaculoso e não tomou nenhuma medida para eliminar seus filhos. Ao contrário, foram abrigados e cuidados dentro do palácio do califa, mas foram proibidos de ter filhos para que assim sua linhagem morresse ali. A despeito dessa natureza casuística, as consequências dessa revolução foram dramáticas. Os dias dos fatímidas estavam chegando ao fim, o cisma religioso e político que havia dividido o Egito do resto dos muçulmanos do Oriente Próximo desde o século X retrocedeu, deixando Saladino colocar-se como o grande defensor da ortodoxia sunita.

Considerando-se a reputação quase legendária do califa de ter uma saúde fabulosa, um dos benefícios imediatos da morte de al-Adid para Saladino deve ter sido uma grande entrada de dinheiro vivo. Mas ao ocupar o palácio fatímida, Saladino encontrou um estoque surpreendentemente modesto de dinheiro. Boa parte das reservas havia sido utilizada para custear os exorbitantes tributos do falecido vizir Shawar a Jerusalém e Damasco, além da própria defesa que Saladino fez de Damieta em 1169. Os tesouros que ele de fato encontrou – uma "montanha" de rubis, uma enorme esmeralda e uma coleção de pérolas gigantes – foram rapidamente leiloados.

A abolição do califado fatímida por Saladino e a sujeição do Egito em 1171 foram, pelo menos em tese, não apenas vitórias pessoais, mas também um triunfo para seu suserano, Nur al-Din, cujo reino podia agora se dizer que abarcava do Egito à Síria e além. Certamente, os dois homens receberam esplêndidas vestes cerimoniais de vitória do califa de Bagdá naquele outono. Mas por detrás da fachada de unidade e ascendência sunita, sinais de tensão entre o senhor e seu tenente ainda mais poderoso estavam ficando aparentes. Com a unificação de Alepo, Damasco e Cairo, e o resultante cerco do reino franco de Jerusalém, Nur al-Din devia ter esperado tirar vantagem da riqueza e dos recursos do Nilo, bem como apoio militar de Saladino, para lançar uma ofensiva máxima contra a Palestina. A partir do outono de 1171, entretanto, como novo senhor do Egito, Saladino começou a agir como o governante soberano em seu próprio direito. Desde os dias das aventuras de Shirkuh no norte da África, o envolvimento aiúbida na região sempre fora ornado por interesse próprio e, em última instância, a conquista do Egito tinha dependido sobretudo das próprias qualidades de Saladino: sua visão política e militar precisa, sua paciência, astúcia e impiedade. Agora ele podia alegar ser um igual e aliado de Nur al-Din, não seu vassalo.

O que impedia o conflito aberto era, em parte, o fato de Nur al-Din estar mais preocupado com outras partes de seu reino. A Síria e a Palestina foram mais uma vez atingidas por uma série de terremotos que causaram muitos danos no começo dos anos 1170, forçando desvios de recursos em extensos programas de reconstrução. No Iraque, a morte do irmão e, em seguida, a perda do califa abássida impeliram Nur al-Din a mais uma vez se envolver em questões da Mesopotâmia, enquanto em Jazira e Anatólia havia novas oportunidades de expansão territorial lhe chamando a atenção. Então, em 1172, uma disputa com os francos por causa dos direitos comerciais ao longo da costa síria provocou uma série de ataques surpresa contra Antioquia e o condado de Trípoli.

Apesar dessas distrações, Nur al-Din procurou, de fato, o apoio de Saladino em um crucial teatro de conflito, a área de deserto controlada pelos latinos a leste do rio Jordão conhecida como Transjordânia. Essa região era certamente um prêmio valioso: anexada no começo do século XII para a construção de castelos francos em Montreal e Kerak, ela deu aos latinos um controle pelo menos parcial sobre a rota principal de Damasco para Meca ou para Medina, as cidades sagradas da península arábica. Saladino havia sido acusado por cronistas medievais e alguns acadêmicos modernos de deixar de cooperar plenamente em duas tentativas de conquistar essa zona de fronteira no começo dos anos 1170. Essa "perfídia" supostamente revelou que Saladino era mais motivado por ambição pessoal do que pelo desejo de promover interesses islâmicos mais amplos. Mas será que ele realmente deu as costas a Nur al-Din, destruindo uma oportunidade de triunfar na guerra pela Terra Santa?

No final de setembro de 1171, logo depois da abolição do califado fatímida, Saladino marchou Transjordânia adentro com a aparente intenção de lançar uma operação conjunta com Nur al-Din. Como este partiu de Damasco para o sul, Saladino fez um cerco a Montreal, mas após um curto período ele subitamente decidiu se retirar para o Egito, e os dois exércitos muçulmanos nunca se encontraram. O historiador de Mossul Ibn al-Athir, que apoiava a dinastia zênguida de Nur al-Din, viu nesses eventos um momento definitivo de divisão entre Saladino e seu suserano, deixando claro que havia uma "profunda diferença de energia entre eles". Ele continuou afirmando que, após chegar a Montreal, Saladino foi avisado por seus conselheiros sobre a real estratégia e as consequências políticas da conquista da Transjordânia. Aconselhado de que a abertura de uma rota segura de Damasco ao Egito levaria à conquista por Nur al-Din da região do Nilo, e advertido de que, "se Nur al-Din vier lhe procurar aqui, você terá de encontrá-lo e então ele exercerá sua autoridade sobre você como desejar", Saladino fugiu.

O problema com o relato de Ibn al-Athir é que ele é baseado na concepção de Saladino como um comandante ingênuo, desprovido de antevisão. Ainda assim, à luz de seus notáveis sucessos no Egito, Saladino não era inocente, e sim um operador astuto e datado de visão de longo alcance. Ele certamente teria reconhecido antecipadamente maiores ramificações do empreendimento da Transjordânia, muito antes de concretamente chegar a Montreal em si. Chega a ser frustrante que as outras fontes sobreviventes lancem pouca luz a mais sobre esses eventos. De acordo com o relato,

Saladino se eximiu argumentando que a rebelião estava fermentando no Egito, enquanto o outro contemporâneo árabe simplesmente observou que "alguma coisa aconteceu" para causar essa precipitada volta ao Cairo.

Ibn al-Athir seguiu acusando Saladino de abandonar uma segunda empreitada conjunta antes que Nur al-Din pudesse chegar, desta vez contra Kerak, no começo do verão de 1173. Se por um lado Saladino certamente cercou aquela fortaleza naquele momento, por outro ele estava provavelmente agindo independentemente de Damasco, pois Nur al-Din estava ocupado com assuntos do norte da Síria e não estava em posição de liderar tropas para invadir a Transjordânia.[32]

No final das contas, as provas contra Saladino referentes ao período entre 1171 e 1173 são inconclusivas. Não se pode afirmar categoricamente que ele tenha traído Nur al-Din, nem tampouco foi o único culpado pelo fracasso na *jihad*. Pelo menos em público, Saladino afirmou sua incessante subserviência à dinastia zênguida após o fim do governo fatímida em 1171 – Nur al-Din foi incluído na prece de sexta-feira e moedas egípcias foram forjadas com seu nome ao lado do nome do califa abássida.

Na realidade, qualquer hostilidade que estivesse se formando entre Damasco e Cairo no começo dos anos 1170 provavelmente não tinha relação primária com a questão da ação militar unificada, mas na verdade era questão de dinheiro vivo. Acima de tudo, Nur al-Din queria ter acesso às riquezas do Egito e começou a exigir um tributo anual da região com essa finalidade. Além disso, ele enviou um oficial de Damasco para levar a cabo uma auditoria completa de todo o rendimento do Egito no final de 1173. Como a investigação financeira seguiu rapidamente no Egito durante os primeiros meses de 1174, a tensão foi aumentando. Tanto Nur al-Din quanto Saladino mobilizaram tropas, apesar de não haver certeza se isso foi uma preparação para um confronto direto ou mais uma tentativa de colaboração. O mais provável é que os dois homens estivessem fazendo uma demonstração de força como prelúdio de questiúnculas diplomáticas intensas, cientes de que isso iria crescer até explodir em conflito aberto. A discórdia sem dúvida estava no ar, pois o próprio Saladino viria a admitir a seu biógrafo: "ouvimos dizer que talvez Nur al-Din nos ataque no Egito. Vários de nossos camaradas aconselharam a resistir abertamente a ele, sua autoridade deve ser rejeitada e sua força armada deve ser encarada em batalha para ser repelida se esse movimento hostil se transformar em realidade". Ao que parece ele teria acrescentado, de modo um tanto inconvincente, que "apenas eu discordei deles, enfatizando que não era certo dizer nada do tipo".[33]

O destino interveio para prevenir o que potencialmente teria sido uma imensamente prejudicial guerra civil sunita. Enquanto esperava o relato de seu auditor sobre o Cairo, Nur al-Din caiu doente na primavera de 1174. Enquanto jogava polo em Damasco, no dia 6 de maio ele sofreu alguma forma de surto e, quando retornou à cidadela, estava nitidamente mal. Sofrendo do que aparentemente seria uma angina, de início ele foi teimoso e se recusou a chamar imediatamente o médico da corte, al-Rahbi. E quando ele chegou, Nur al-Din estava encolhido em uma pequena sala de preces, bem nas profundezas da cidadela, "perto da morte (...) sua voz mal dava para se ouvir". Quando foi sugerido que lhe fizessem sangramentos, Nur al-Din recusou asperamente, dizendo que "não se sangra um homem de sessenta anos de idade", e quando esse grande governante dizia alguma coisa, ninguém discutia.

Em 15 de maio de 1174, Nur al-Din morreu, e seu corpo depois foi sepultado em uma das escolas religiosas que ele havia construído em Damasco. Mesmo entre os francos, seus inimigos, ele era reverenciado como um "poderoso perseguidor do nome e da fé cristã (...) um príncipe justo e corajoso". Ele foi o primeiro líder muçulmano desde o advento das cruzadas a unir Alepo e Damasco. Sua visão e seu veloz senso de devoção instauraram uma nova era de rejuvenescimento religioso dentro do mundo sunita, ressuscitando a ideia da *jihad* contra os inimigos do Islã como sendo uma causa emblemática e imperativa. Ainda assim, por ocasião de sua morte, os francos permaneciam não conquistados e a cidade santificada de Jerusalém continuava nas mãos da cristandade.[34]

10. HERDEIRO OU USURPADOR?

A morte de Nur al-Din em março de 1174 pareceu a oportunidade perfeita para Saladino ofuscar a soberania da Síria zênguida, permitindo que um tenente se tornasse líder, garantisse seu direito de governar de modo pleno e independente e tomasse para si o manto de campeão da guerra santa do Islã contra os francos. É muito simplista imaginar a história do Islã do Oriente Próximo no século XII como uma era de progressão linear na qual uma onda crescente de ressurgimento da *jihad* escalou sob o comando de Zengui, Nur al-Din e, finalmente, Saladino – com a tocha da liderança sendo passada suavemente, e quase e inevitavelmente, de um "herói" muçulmano para outro. Essa foi certamente a impressão fomentada e energicamente promovida por alguns islâmicos da época.

UM HERÓI PARA O ISLÃ

Saladino assumiu esse último objetivo com singular dedicação e vigor. A questão fundamental – semelhante à que foi feita a Nur al-Din – era o porquê. Será que Saladino procurava poder, forjando um império islâmico panlevantino despótico para satisfazer sua ambição pessoal e egoísta? Ou teria sido ele compelido por uma causa maior, buscando a unificação muçulmana como um meio para atingir uma finalidade – o necessário precursor para ter sucesso na *jihad* contra os francos cristãos? Alguma tentativa de entender os motivos e a mentalidade de Saladino tinha de ser feita, até por sua profunda importância enquanto figura histórica, particularmente na cultura islâmica. No mundo moderno, Saladino passou a ser considerado como supremo campeão muçulmano da era das cruzadas, um talismã extraordinariamente poderoso do passado islâmico, e considerado por muitos um herói a ser reverenciado. A tarefa de despojar as camadas da lenda, da propaganda e da parcialidade para explorar a realidade de sua carreira é, portanto, particularmente sensível e exige cuidado escrupuloso e assíduo.

Em termos relativos, as fontes contemporâneas da vida de Saladino são fartas, mas também problemáticas. Uma série de testemunhas muçulmanas escreveu sobre suas conquistas admiráveis, incluindo dois de seus principais apoiadores – seu secretário Imad al-Din al-Isfahani (em 1174) e seu conselheiro Baha al-Din Ibn Shaddad (em 1188) –, mas ambos apresentavam biografias pasteurizadas de seu mestre após o evento. Seus trabalhos se baseiam na premissa de que Saladino foi impulsionado por sincera devoção religiosa para servir o Islã e lutar contra os francos. De acordo com Baha al-Din, a convicção espiritual de Saladino se aprofundou depois que ele assumiu o poder sobre o Egito em 1169, renunciando "ao vinho e dando as costas à frivolidade", e a partir daí ele supostamente passou a ser tomado por religiosa "paixão, constância e zelo". Seu compromisso para com a guerra santa era tido como absoluto:

> Saladino era muito diligente e entusiasta em se tratando da *jihad*. Se alguém jurasse que ele não havia gastado uma só moeda em nada que não fosse a *jihad* ou seu sustento, não estaria faltando com a verdade. A *jihad* tomou seu coração e todo seu ser com seu amor e sua paixão por ela, tanto que ele não falava e não pensava em nada a não ser em como realizá-la.

Essa descrição altamente favorável é balanceada, até certo ponto, por outra prova. O cronista iraquiano Ibn al-Athir, apoiador da dinastia rival zênguida, ofereceu um ponto de vista mais imparcial sobre Saladino. Também sobreviveram cópias manuscritas de correspondências públicas e privadas escritas para Saladino por seu escriba e confidente al-Fadil. Esse crucial (ainda que relativamente pouco explorado) corpo de provas oferece percepções inestimáveis sobre o pensamento de Saladino e seu uso desenfreado de propaganda, bem como seu interesse na criação de uma imagem.[35]

Também é imperativo contextualizar qualquer julgamento sobre o caráter e a carreira de Saladino. Enquanto governante medieval, ele operava dentro de um ambiente político violento e venenoso – para sobreviver e avançar seria praticamente impossível para ele sempre agir com pura nobreza, honra, justiça e clemência. Na verdade, poucos dos grandes governantes da história, seja qual for a época em que viveram, podem reivindicar essas qualidades – se é que houve algum que possa.

É de fato evidente que Saladino não era simplesmente um tirano sanguinário. Ao tentar usurpar o poder dos herdeiros de Nur al-Din, ele podia ter seguido o exemplo dado por Zengui, usando de medo e brutalidade para acumular e manter poder. Em vez disso, Saladino optou por investir em políticas que imitavam bastante as de seu antigo suserano – de fato, nesse sentido pelo menos, era possível dizer que era ele o verdadeiro sucessor de Nur al-Din. A tarefa de Saladino em 1174 foi essencialmente recriar as conquistas dos zênguidas, mas em reverso, subjugando Damasco, Alepo e Mossul. Para cumprir essa tarefa, ele empregou uma fusão de poderio militar e manipulação política. E, ao longo do processo, ele deu grande importância a conceitos de legitimidade e justa causa. Essa necessidade de validação foi ampliada pela origem social e étnica de Saladino. O que tinha sido verdade para os turcos zênguidas o era duplamente para os aiúbidas enquanto senhores de guerra mercenários curdos – seria muito fácil caracterizá-los como forasteiros arrivistas em um Oriente Próximo e Médio historicamente dominado pelas elites governantes árabes e persas.

Por toda a década de 1170 e daí por diante, Saladino procurou legitimar sua ascensão ao poder e proeminência enfatizando seus papéis como defensor do Islã e da ortodoxia sunita. Como suposto servo do califa abássida de Bagdá, ele também usou a ideia da *jihad* para justificar a necessidade de unidade islâmica obedecendo a um só governante. Assim como o papa Urbano II se valera do poder de um inimigo muçulmano temido e ameaçador para unir o Oeste Europeu na Primeira Cruzada, da mesma forma Saladino não hesitou em apresentar os francos levantinos como adversários ameaçadores e inimitáveis.

Ao mesmo tempo, era evidente que ele aspirava aumentar seu próprio poder e criar uma dinastia duradoura. Nos anos 1170, ele começou a posar de "sultão" (rei ou governante), um título que reflete autoridade autônoma. Ele também estava ocupado criando uma nova geração de potenciais herdeiros. Poucos detalhes sobreviveram sobre as numerosas esposas e escravas que lhes deram filhos, mas em 1174, aos 36 anos de idade, ele já tinha cinco filhos, o mais velho deles, al-Afdal, nascido em 1170.

A REBOQUE DE NUR AL-DIN

A partir do verão de 1174, Saladino não era mais o único a explorar o vácuo de poder que ficou no Oriente Próximo com a morte de Nur al--Din. Membros da corte do falecido emir e parentes distantes – da dinastia zênguida – procuraram garantir ou a própria independência, ou o direito de agir efetivamente como sucessores. Em questão de meses, o reino zênguida, tão pacientemente construído ao longo de 28 anos, despedaçou-se quase a ponto de ficar irreconhecível, o que levou uma desconcertante gama de protagonistas ao palco.

A leste da Mesopotâmia, dois sobrinhos de Nur al-Din estavam no poder – Saif al-Din, em Mossul e, na cidade próxima de Sinjar, Imad al--Din Zengui. Ambos agora competiam pelo controle do território oeste rumo ao Eufrates. Na Síria, o jovem filho de Nur al-Din, al-Salih, tornou-se um peão político enquanto várias facções alegavam ser "protetora" dele. O garoto acabou misteriosamente dispensado para Alepo, onde o eunuco Gumushtegin emergira através de sanguinolenta intriga como força dominante. Enquanto isso, em Damasco, um grupo de emires, liderado pelo comandante militar Ibn al-Muqaddam, queria obter poder. Não foi surpresa que os latinos também vissem uma chance de ação naquele verão. O objetivo básico do rei Amalrico era a reconquista de Banya, o assentamento de fronteira perdido para Damasco uma década antes. Amalrico fez um cerco à cidade que durou semanas, mas problemas de saúde o impediram de fazer pressão para conseguir alguma vantagem, e assim ele concordou com uma trégua com Ibn al-Muqaddam em troca de um pagamento em dinheiro e a libertação de alguns cativos cristãos.

Essa enxurrada urgente de atividade tomou conta da Síria, mas no Egito Saladino esperou o momento certo: no meio do verão, uma frota siciliana atacou Alexandria, enquanto no Alto Egito emires fatímidas sobreviventes tentavam incitar uma rebelião. Essas ameaças foram prontamente repelidas, mas Saladino ainda abordava a questão da sucessão do reino de Nur al-Din com grande cautela. Plenamente ciente da necessidade de rebater acusações de usurpação despótica, Saladino abandonou as armas de invasão e supressão violenta, optando desta vez por empregar uma diplomacia maliciosa em um cenário de resoluta propaganda. Um de seus primeiros atos foi escrever para al-Salih declarando sua lealdade, afirmando que o nome do jovem governante havia devidamente substituído o de Nur al-Din durante a prece de sexta-feira no Egito, e que Saladino estava pronto e disposto, como "servo", a defender al-Salih de seus rivais. Em outra carta, proclamou que lutaria "como uma espada contra os inimigos de al-Salih", avisando que a Síria estava cercada por inimigos "em todos os lados", como os francos, que tinham de ser combatidos.

Esses dois documentos revelam que, em questão de semanas após a morte de Nur al-Din, Saladino estava divulgando a agenda oficial sob a qual ele viria a operar por boa parte dos anos 1170. Nesse período, ele tentou, com quase infalível tenacidade, aumentar sua autoridade pessoal sobre o que restava do destroçado reino de Nur al-Din. Mas essa sôfrega busca pelo poder era sempre imobilizada debaixo da declaração pública de princípios geminados: enquanto estava como guardião oficial de al-Salih, Saladino trabalhava incansavelmente, sem pensar em recompensa para si mesmo, com o intuito de preservar a autoridade zênguida; esse ímpeto em direção à unidade islâmica foi de suma importância precisamente porque o mundo muçulmano estava engajado em uma batalha histórica contra um inimigo cristão implacável que ainda continuava com a posse da cidade sagrada de Jerusalém.[36]

É claro que muitos dos oponentes contemporâneos ao sultão estavam perfeitamente cientes de que Saladino na verdade queria mesmo construir seu próprio império, ainda que acima dos interesses da *jihad*, e estavam sempre dispostos a divulgar seus medos e acusações. Sob essas circunstâncias, Saladino contou com a política do medo para fortalecer seu programa de dissimulação. Se as coisas ocorressem de modo pacífico na Síria, o sultão não teria desculpa para intervir – de modo um tanto irônico, em 1174 Saladino esperava então que seus rivais agissem contra os interesses de al-Salih e que os francos partissem para a ofensiva.

A ocupação de Damasco

Concedida sua base de operação no Egito, o primeiro objetivo de Saladino na busca por reconsolidar os domínios de Nur al-Din a seu próprio governo tinha de ser Damasco. Aproveitando a decisão de Ibn al-Muqaddam de comprar a paz com o rei de Jerusalém em Banyas, o sultão agora levantava acusações de fraqueza contra a corte damascena, citando seu fracasso em praticar a guerra santa como provável causa para intervir nas questões sírias. O ex-secretário de Nur al-Din, o escriba e acadêmico persa Imad al-Din al-Isfahani, registrou a troca de correspondência que se seguiu. Ibn al-Muqaddam repreendeu Saladino, escrevendo "que não seja dito que você tem projetos envolvendo a casa daquele que o estabeleceu, pois isso não combina com um bom caráter". O sultão respondeu com uma afirmação enérgica de suas intenções:

> Escolhemos para o Islã e seu povo apenas aquilo que os una, e para a casa zênguida apenas o que preserva sua raiz e seus galhos (...) Eu estou em um vale, e aqueles que pensam mal de mim estão em outro (...) Se fôssemos inclinados para qualquer outro caminho, não teríamos escolhido o caminho da consulta e da escrita.

Foi essa mensagem que Saladino quis que fosse divulgada por toda a Síria. No entanto, por mais provocantes que suas palavras fossem, era improvável que elas tivessem efeito político por si mesmas. O mais provável é que tenha sido por medo de uma possível aliança entre Mossul e Alepo que, no final do verão, Ibn al-Muqaddam resolveu ficar do lado de Saladino, convidando-o para vir em socorro de Damasco. Esta era precisamente a oportunidade que o sultão vinha esperando. Saladino deixou o irmão al-Adil governando o Egito e marchou para a Síria em outubro de 1174 equipado com dois armamentos: uma força armada para derrotar qualquer bolsão de resistência e, talvez mais importante ainda, dezenas de milhares de dinares de ouro para comprar apoio. Sua entrada na antiga cidade em 28 de outubro acabou sendo um evento pacífico.

Um dos biógrafos contemporâneos de Saladino descreveu o dia, tomando o cuidado de enfatizar a conexão pessoal do sultão com Damasco, lar de sua juventude, escrevendo que "ele foi direto para sua casa e as pessoas o cercaram em regozijo". Sua extravagante generosidade foi enfatizada: "Naquele mesmo dia ele distribuiu grandes somas de dinheiro para o povo e se mostrou contente e encantado com os damascenos, e vice-versa. Ele subiu até a cidadela e seu poder foi firmemente estabelecido". Para enfatizar a qualidade ortodoxa e a magnanimidade de seu governo, Saladino foi rezar na Grande Mesquita de Umayyad, ordenou revogação imediata de impostos não oriundos do Alcorão e proibiu a pilhagem. Mais tarde ele viria a justificar sua ocupação da cidade como um passo na estrada para retomar Jerusalém, argumentando que "fugir da guerra santa é um crime sem desculpa". Mas muitos continuavam achando que as alegações de Saladino não eram convincentes – Jurdik, seu aliado no Egito, por exemplo, ficou do lado de Alepo; até mesmo os francos que viviam na Palestina estavam cientes da incipiente luta por poder, e um contemporâneo latino observou que a ocupação de Saladino em Damasco infringia "a lealdade que ele devia a seu senhor e mestre (al-Salih)".[37]

Não obstante, nos meses finais de 1174, uma série de potentados muçulmanos da Síria decidiu apoiar Saladino – considerando que seria essa sua melhor chance de sobrevivência –, e o sultão foi capaz de aumentar sua autoridade ao Norte em uma série de campanhas no geral sem derramamento de sangue, tomando o controle de Homs, Hama e Balbeque (onde Ibn al-Muqaddam foi devidamente recompensado por seu apoio com a nomeação para um cargo de comando). Mais uma vez, Saladino tomou muito cuidado para justificar essas conquistas. Após tomar Homs, ele escreveu em uma mensagem pública para o Egito que "nossa ação não foi feita para tomar o reino para nós mesmos, mas sim com o objetivo de estabelecer o padrão da guerra santa". Seus oponentes na Síria, de acordo com ele, haviam "se tornado inimigos ao impedir a conquista de nosso propósito no que diz respeito a essa guerra". Ele também enfatizou que havia tomado cuidado para não danificar a cidade de Homs em si, "sabendo o quão perto estava dos infiéis". Entretanto, em uma carta mais pessoal, escrita por volta da mesma época para seu sobrinho Farrukh-Shah (um tenente em rápida ascensão), parece oferecer uma visão menos dourada dos eventos. Aqui Saladino criticava duramente as "mentes medíocres" da população de Homs e reconheceu que cultivar sua reputação de adepto da justiça e da clemência foi "a chave para as terras". Ele chegou até a fazer piada sobre seus prospectos futuros. Agora seu objetivo primordial era Alepo, cujo nome em árabe (*Halab*) também significa "leite". Saladino previu a queda iminente da cidade, escrevendo que "basta fazermos a ordenha e Alepo será nossa".[38]

O assédio a Alepo

No começo de 1175, Saladino sem dúvida estava em posição de ameaçar Alepo, mas apesar de sua ousada previsão, a cidade se mostrou um obstáculo difícil, protelando a imposição de sua autoridade sobre a Síria nos anos seguintes.

Alepo e sua formidável cidadela, bem como sua guarda forte, faziam com que qualquer tentativa de ataque de cerco requeresse paciência e vastos recursos militares. Mas mesmo se não tivesse sucesso, essa abordagem direta provavelmente levaria a um conflito sanguinolento e prolongado, o tipo de conquista que não combinava muito com a imagem preferida de Saladino – a de humilde guardião do islamismo. O sultão deve ter esperado que seus oponentes dessem motivos para atacar a cidade, abusando de al-Salih ou mesmo assassinando-o, mas Gumushtegin era astuto demais para tomar uma atitude tão obviamente desproposital. O jovem herdeiro zênguida, a semente da legitimidade, era mais valioso vivo como governante fantoche dentro de Alepo. De fato, Gumushtegin chegou até a persuadir o rapaz a fazer um discurso emotivo e lacrimoso para a população da cidade, rogando por sua proteção contra a tirania de Saladino.

Para agravar os problemas de Saladino, os governantes de Alepo e Mossul deixaram de lado suas diferenças e se uniram contra a onda ameaçadora do controle aiúbida. Por mais de um ano e meio, Saladino permaneceu na Síria, lutando em uma série de cercos limitados e vastamente inconclusos a Alepo e seus assentamentos-satélites. Em abril de 1175, e novamente um ano depois, em abril de 1176, ele se deparou com as forças armadas de Alepo e Mossul em inflamada batalha, e venceu de modo convincente ambas as ocasiões. Esses dois confrontos inflamaram a reputação nascente do sultão de líder geral do Islã, enquanto provava a marcante superioridade de suas forças armadas egípcias e damascenas, cada vez mais experientes. Mas em termos práticos, elas se mostraram não decisivas. Convencido de que o domínio duradouro da Síria não poderia ser conquistado se manchado com sangue muçulmano, Saladino lutou para limitar o nível do real combate intermuçulmano que se dava, contando com a disciplina da tropa mais do que com a ferocidade marcial para prevalecer, e reduzindo qualquer empreitada de seus inimigos, que estavam fugindo do campo de guerra. Seus oponentes puderam então lamber as feridas e se reagrupar.

No verão de 1176, a combinação de agressão militar temperada e propaganda incessante havia, pelo jeito, se esgotado. Gumushtegin permaneceu no controle de Alepo, ao lado de al-Salih, enquanto Saif al-Din continuou a governar Mossul, mas esses aliados foram forçados, pouco a pouco, a concordar com algumas concessões. O direito de Saladino de governar o território sírio que ele dominava ao sul de Alepo foi reconhecido em maio de 1175, e sua posição, formalizada subsequentemente por um diploma de investidura do califa emitido em Bagdá. Quando a paz foi selada em julho de 1166, Saladino reconheceu que ele não podia mais alegar ser o único guardião legal de al-Salih (apesar de o sultão continuar se apresentando como servo zênguida), mas a essa altura Alepo havia concordado, ainda que em termos vagos, em contribuir com tropas para guerra santa.

Ao longo desse período, Saladino tentara, com algum sucesso, prejudicar as reputações de Gumushtegin e Saif al-Din ao repetidamente acusá-los de negociar com os latinos. Saladino escreveu com frequência para o califa reclamando que eles haviam forjado pactos ameaçadores com os cristãos selados pela troca de prisioneiros. Isso reverberou sua condenação à trégua submissa com Jerusalém de Ibn al-Muqaddam, em 1174. O sultão estava tentando apresentar suas campanhas sírias como uma batalha apaixonada e ideológica para unir o Islã contra o sinistro inimigo franco. De fato, isso era pura retórica ofensiva, pois o próprio Saladino havia aceitado duas tréguas com os latinos nesse período.[39]

O Velho da Montanha

As tentativas de Saladino de subjugar a Síria na metade da década de 1170 foram dificultadas por emaranhamentos com os Assassinos. Nessa época, a ala síria desta ordem secreta se encontrava firmemente resguardada nas Montanhas Ansariyah e florescia sob a liderança de um iraquiano formidável, Rashid al-Din Sinan, popularmente conhecido como o Velho da Montanha. Comandando a ordem por quase três décadas no final do século XII, a reputação de Sinan de "homem de inteligência sutil e brilhante" ganhara ampla divulgação tanto entre muçulmanos quanto entre cristãos. Guilherme de Tiro acreditava que Sinan comandava a lealdade e a obediência absolutas de seus seguidores, observando que "não há nada que eles considerem duro ou difícil demais, e estão sempre prontos para aceitar as tarefas mais perigosas sob seu comando".[40]

Os Assassinos eram uma força incrustada, independente e vastamente imprevisível nos assuntos do Oriente Próximo, e sua principal arma – o assassinato político – continuava a provar sua eficácia. O ímpeto de Saladino em dominar a Síria, e mais especificamente suas campanhas contra Alepo, o colocaram na órbita dos Assassinos. No começo de 1175, Sinan decidiu fazer de Saladino seu alvo, provavelmente, pelo menos em parte, estimulado pelo governante de Alepo, Gumushtegin. Com o sultão parado em frente a Alepo, um grupo de trinta Assassinos brandindo facas conseguiu penetrar o coração do seu acampamento e fazer um ataque. Os guarda-costas de Saladino vieram acudir, derrubando um dos agressores justo quando ele ia atacar o próprio sultão. Apesar de o ataque ter sido frustrado, houve baixas entre os Salahiyya. Pouco depois, Saladino escreveu alertando seu sobrinho Farrukh-Shah para ficar de olhos abertos o tempo inteiro, e não demorou muito para se tornar prática padrão colocar as tendas do próprio sultão dentro de um cercado fortificado e muito bem guardado, isolado do resto do acampamento.

A despeito dessas precauções, os Assassinos conseguiram atacar novamente em maio de 1176. Enquanto Saladino estava visitando a tenda de um de seus emires, quatro homens o atacaram, e desta vez chegaram perigosamente perto de completar sua missão homicida. Na primeira súbita agitação, o sultão foi atingido e apenas sua armadura o salvou de um ferimento severo. Mais uma vez seus homens partiram para cima dos matadores, executando-os até restar apenas um deles, mas Saladino ficou ensanguentado por causa de um corte na bochecha e estava muito abalado. A partir daí, qualquer membro da comitiva que ele não conhecesse pessoalmente era dispensado.

Em agosto de 1176, Saladino decidiu lidar com essa ameaça problemática. Ele fez um cerco ao principal castelo Assassino de Masyaf, mas após menos de uma semana, desistiu da empreitada e se retirou para Hama.

O motivo da partida do sultão e os detalhes de qualquer acordo negociado com Sinan permanecem um mistério. Uma série de relatos de muçulmanos repete a história de que, sob ameaça de uma incessante campanha dos Assassinos para matar membros da família aiúbida, Saladino aceitou o pacto de não agressão mútua com o Velho. Um cronista de Alepo ofereceu uma explicação ainda mais arrepiante, descrevendo como o sultão foi visitado pelo enviado de Sinan. Após ser revistado, o mensageiro foi recebido em audiência com Saladino, mas insistiu em falar com ele a sós. O sultão acabou aceitando dispensar dois de seus mais habilidosos e confiáveis guarda-costas – homens que ele considerava como "seus próprios filhos".

> O enviado então se voltou para os dois guardas e disse: "se eu lhes ordenasse que, em nome do meu mestre, matassem esse sultão, vocês o fariam?". E eles responderam que sim, e puxaram suas espadas dizendo: "ordene o que quiser". Saladino ficou atônito, e o mensageiro partiu levando os dois homens. E a partir de então ele se inclinou a ficar em paz com (Sinan).[41]

É possível duvidar da autenticidade dessa história – se os Assassinos tivessem mesmo agentes tão próximos de Saladino, sem dúvida teriam conseguido matá-lo em 1175 ou 1176 –, mas a mensagem implícita da história era válida. Era impossível se proteger permanentemente dos Assassinos. De todo modo, Saladino e Sinan evidentemente chegaram a algum tipo de acordo em 1176, pois o sultão nunca mais atacou o enclave montanhoso da ordem e não sofreu mais nenhuma tentativa de assassinato.

O SONHO AIÚBIDA DE SALADINO

No final do verão de 1176, Saladino acabou com quase dois anos de campanha contra Alepo. Com a trégua em vigor consagrando sua posse de Damasco e da maior parte da Síria, ele perpetuou de boa vontade a ficção de subserviência a al-Salih. Em todos os domínios de Saladino, o nome do jovem governante continuava a aparecer em moedas e a ser recitado na prece de sexta-feira. Porém o sultão de fato procurou conferir legitimidade a sua autoridade ao se casar com Ismat, viúva de Nur al-Din, filha de Unur, governante falecido tempo antes. Tratava-se antes de qualquer coisa de uma união política, pois desposá-la permitia que Saladino se conectasse às duas dinastias governantes históricas, mas tudo indica que tenha surgido uma verdadeira amizade, quem sabe até amor, entre o casal.[a] Nessa época o sultão havia tomado outras medidas para se apropriar do aparelho governamental zênguida.

Em setembro de 1176, Saladino voltou ao Egito. Esse deslocamento ofereceu-lhe certo alívio dos perigos e confrontos dos meses recentes – ele parou em Alexandria com al-Afdal, seu filho de seis anos, durante três dias, em março de 1177, para ouvir as narrativas da vida do Profeta Maomé –, mas isto também refletia uma nova realidade na vida do sultão. Comandando um reino que se estendia do Nilo ao Orontes, na Síria, ele agora encarava todas as dificuldades práticas de governar um reino geograficamente tão extenso para a Idade Média. Uma questão prioritária era a comunicação. Ao encarar o mesmo problema, Nur al-Din havia suplementado sua rede de correios e mensageiros a cavalo com o uso intensificado de pombos-correio, e agora Saladino seguiu seu exemplo. Ele também manteve espiões e batedores na Síria e na Palestina em seu serviço de inteligência. Mesmo assim, não importava como fossem transportadas, as mensagens sempre estavam sujeitas a uma possível intercepção inimiga, e o sultão, por vezes, recorria à escrita em código. Uma verdade importante para a vida desta época, tanto para muçulmanos quanto para cristãos, era que, mesmo entre os grupos aliados, a transferência de informação era altamente imprecisa, enquanto o conhecimento das intenções e dos movimentos do inimigo amiúde se baseava na pura adivinhação. A ignorância, o erro e a desinformação serviam para moldar a tomada de decisões e, nos anos que se seguiram, Saladino sempre lutou para manter o conhecimento dos fatos em todo o mundo muçulmano, bem como para obter uma compreensão, ainda que parcial, dos planos e ações dos franceses. Nessa situação, os papéis de al-Fadil e Imad al Din como correspondentes, comunicadores e propagandistas eram de suprema importância.

---

a   Ismat morreu em janeiro de 1186 quando o próprio Saladino estava sofrendo de uma terrível enfermidade. Os conselheiros mais próximos do sultão esconderam dele a notícia da morte da esposa durante dois meses por medo de lhe causar choque e angústia.

A união entre o Cairo e Damasco sob o poderio aiúbida também forçou Saladino a adotar o uso de lugares-tenentes para governar em sua ausência. Ao longo de toda sua carreira, o sultão voltou-se primeiro para suas relações de sangue para preencher esses postos e, por vezes, esse sistema de confiar em sua família funcionou bem. No outono de 1176, ao voltar, ele verificou que seu irmão al-Adil e seu sobrinho Farrukh-Shah tinham governado o Egito com atenta prudência. Na Síria, entretanto, suas disposições demonstraram ser menos satisfatórias. Deixado como governante de Damasco, o irmão mais velho de Saladino, Turan-Shah, demostrou ser incompetente. Dado à excessiva liberalidade financeira – deixando uma infame dívida pessoal de cerca de 200 mil dinares de ouro ao morrer –, ele também apreciava as distrações mais dissolutas. Com a Síria castigada por uma prolongada seca no fim da década de 1170, ficou cada vez mais claro que Turan-Shah teria de ser substituído. Em 1178, Saladino admitiu, com desespero, que "podemos passar por cima de pequenas falhas e manter silêncio quanto às questões menores, mas quando toda a terra é devastada... isso abala os pilares do Islã".

O sultão obteve maiores sucessos em suas tentativas de equilibrar o uso de recursos físicos e financeiros nas terras que agora comandava. Em 1177, priorizou a região do Nilo, fortalecendo as defesas de Alexandria e Damieta e iniciando a construção de uma poderosa muralha para cercar o Cairo e o subúrbio sul de Fustat. Também tomou a custosa (embora sábia) decisão de reconstruir a outrora famosa frota egípcia. Materiais de construção de navios e marinheiros foram trazidos da Líbia, mas a busca de Saladino pelo melhor tipo de madeira levou-o a estabelecer laços comerciais com Pisa e Gênova. Esse foi apenas um exemplo do crescente comércio internacional de material e tecnologia militar (além de armas) entre o Islã aiúbida e o Ocidente, que prosseguiu mesmo quando a guerra santa se intensificou. O investimento do sultão teve notáveis consequências estratégicas, pois em poucos anos ele passou a controlar uma marinha de sessenta galeras e vinte navios de transporte. Há muito desprovido de qualquer poder efetivo sobre o transporte marítimo no Mediterrâneo, o Oriente Próximo islâmico pôde, mais uma vez, controlar esse mar.[42]

O REI LEPROSO

No momento em que Saladino estava consolidando seu poder sobre o Egito e Damasco, um novo rei latino de Jerusalém estava preparando sua estratégia. Em 1174, o rei Amalrico havia escapado do cerco de Banyas queixando-se de uma doença. Na verdade, ele havia contraído um caso extremo de disenteria e, em julho, com a idade de 38 anos, o soberano estava morto. Ele foi sucedido por seu filho, Balduíno IV, um jovem monarca cujo reinado seria obscurecido pela tragédia e uma profunda crise. A condição de Balduíno no momento de sua precipitada elevação ao trono era peculiar. Em 1163, Amalrico havia concordado, por insistência da Alta Corte, com renunciar à sua esposa, Inês de Courtenay (filha do conde Joscelino II, de Edessa), antes de assumir a coroa de Jerusalém. As justificativas oficiais para a anulação de seu casamento eram consanguíneas – eles eram primos em terceiro grau –, mas a verdadeira causa pode ter sido a suspeita de que Inês buscava promover os interesses do clã Courtenay, agora bastante desprovido de terras na Palestina, à custa dos proprietários aristocratas. Amalrico e Inês já tinham tido dois filhos, Balduíno e Sibila, e foi acordado que a legitimidade deles seria respeitada, embora Amalrico logo tornasse a se casar com a princesa bizantina Maria Comnena.

A infância e a minoridade de Balduíno IV

Com apenas dois anos de idade em 1163, Balduíno cresceu num ambiente familiar desagregado. Sua mãe também tornou a se casar quase imediatamente e, como se ausentasse bastante da corte, pouco ou nada representou para a criação de Balduíno, enquanto sua madrasta Maria conservava uma distância fria com relação a ele, mais preocupada com ampliar os interesses de seus próprios filhos com Amalrico. Até a irmã mais velha, a princesa Sibila, era efetivamente uma estranha para o jovem príncipe, sendo educada em meio às reclusas paredes do convento de sua tia Iveta, em Betânia.

No final, um dos companheiros mais próximos de infância de Balduíno foi o clérigo e historiador da corte Guilherme de Tiro. Nomeado tutor do jovem príncipe por volta de 1170, Guilherme foi incumbido de "treinar (o herdeiro designado) na formação do caráter, bem como instruí-lo no conhecimento das letras" e numa série de estudos acadêmicos. A história de Guilherme do Oriente latino oferece um relato comovente e íntimo do caráter de Balduíno como menino. Tendo uma marcada semelhança física com o pai, repetindo-lhe até o modo de andar e seu tom de voz, o príncipe foi descrito como "uma bela criança para sua idade", de pensamento ágil, com uma memória excelente e amando estudar e cavalgar. Contudo, Guilherme também escreveu, com total honestidade, sobre um momento de terrível revelação na vida de Balduíno.

Um dia, quando ele estava com nove anos de idade e morando na casa de Guilherme, o príncipe brincava com um grupo de meninos de origem nobre. Eles estavam competindo num teste popular de resistência, "beliscando-se e cravando as unhas nos braços e nas mãos, como fazem as crianças muitas vezes" para ver quem chorava de dor. Apesar de seus esforços, ninguém foi capaz de fazer com que Balduíno revelasse o menor sinal de desconforto. A princípio, presumiu-se que isso fosse apenas um sinal de sua real persistência, mas Guilherme escreveu:

> Depois de isto acontecer várias vezes e vierem me contar... eu comecei a lhe fazer perguntas (e) percebi que metade de seu braço e de sua mão estava morta, de modo que ele não sentia nenhum beliscão ou mesmo mordida. Comecei a ficar com a mente angustiada... contei a seu pai, e depois de os médicos terem sido consultados, foram feitas cuidadosas tentativas de ajudá-lo, com cataplasmas, unguentos e até feitiços, mas foi tudo em vão. Então, com o passar do tempo, compreendemos mais claramente que isso marcava o início de uma doença mais séria e totalmente incurável. É impossível conter as lágrimas quando se fala deste grande infortúnio.[43]

Balduíno, de fato, já estava sofrendo os primeiros estágios da doença. É improvável que um diagnóstico definitivo tenha sido feito a essa altura. Os melhores médicos foram chamados para cuidar do príncipe, incluindo o árabe cristão Abu Sulaiman Dawud, e, por certo tempo, parece não ter havido uma deterioração séria da condição do paciente. Assim, para que Balduíno pudesse aprender o combate a cavalo, a arte cavaleiresca por excelência, o irmão de Abu Sulaiman foi contratado como tutor do menino.

Treinado para controlar uma montaria apenas com os joelhos, deixando o braço esquerdo livre para manejar uma arma, o príncipe tornou-se um cavaleiro notavelmente habilidoso.

No início da década de 1170, Amalrico buscava um marido adequado para a princesa Sibila, na esperança de garantir uma linha de sucessão se uma alternativa a Balduíno fosse necessária. Mas na época da morte inesperada do rei, em 1174, nenhum parceiro para Sibila ainda havia sido encontrado, e o único filho que sobrevivera de seu casamento com Maria Comnena era outra menina, a infanta Isabel. Em julho de 1174, o príncipe Balduíno estava longe de ser um candidato ideal para o trono. Nascido de uma união posteriormente dissolvida, ele só tinha treze anos de idade (e, portanto, dois anos abaixo da maioridade segundo as leis do reino) e era conhecido por sofrer de uma doença debilitante. Não obstante, a Alta Corte concordou com sua elevação, e Balduíno foi devidamente coroado pelo patriarca de Jerusalém no Santo Sepulcro em 15 de julho, o auspicioso aniversário da conquista da cidade pelos primeiros cruzados.

Os historiadores costumam avaliar o reino de Balduíno IV como um quase autêntico desastre para o Oriente latino. Enquanto Saladino subia ao poder, emergindo do Egito para unificar o mundo muçulmano, a Palestina francesa era posta de joelhos por um monarca fraco e doente. Balduíno foi criticado por egoisticamente reter a coroa muito além do ponto em que deveria ter abdicado, bem como pela responsabilidade de provocar uma era de divisão em facções amargas e injuriosas, em que a nobreza do Ultramar tramava para obter influência e poder.

A reputação do jovem rei tem sido um pouco reabilitada em anos recentes, com uma nova ênfase no fardo que ele carregava devido à deterioração de sua saúde, bem como na relativa vitalidade do início de seu reinado e em seus esforços determinados por defender o reino e encontrar um sucessor viável. Uma verdade, contudo, permanece imutável. Os Estados cruzados haviam sido frequentemente assolados por crises de sucessão, amiúde da maneira mais deletéria quando um governante morria repentinamente em batalha, ferimento ou doença. O caso de Balduíno era diferente, e o dano provocado durante seu reinado era mais profundo, precisamente porque ele não morreu. Permanecendo no trono, amiúde exigindo a autoridade executiva a ser exercida por uma forma de regência durante as piores fases da extrema enfermidade, o governo vacilante do rei leproso deixou Jerusalém num precário e vulnerável estado de abandono.[44]

Durante os dois primeiros anos de seu reinado, Balduíno era menor de idade, e boa parte do trabalho de governar coube a um de seus primos, o conde Raimundo III, de Trípoli, agindo como regente. Agora com pouco mais de trinta anos, Raimundo havia sido libertado depois de nove anos numa prisão muçulmana, e suas possíveis qualidades eram desconhecidas. Figura de estatura relativamente diminuta, de pele trigueira e olhar penetrante, a postura rígida do conde aliava-se a um comportamento um tanto distante. Cauteloso por natureza, era, contudo, guiado pela ambição, e seu casamento com a mais indicada herdeira do trono, a princesa Esquiva, da Galileia, fez dele o maior vassalo de Jerusalém. Como regente, adotou uma postura conciliatória em suas relações com a Alta Corte, evitando o confronto direto com Saladino e concordado com os termos de uma trégua em 1175, durante o avanço do sultão contra Alepo.

A principal preocupação de Raimundo nesses anos todos foi a sucessão, pois logo depois da coroação a saúde de Balduíno IV entrou em terrível declínio. Talvez agravada pela chegada da puberdade, sua doença evoluiu para a forma lepromatosa mais grave, e logo sinais reveladores dela eram inconfundíveis, com suas "extremidades e rosto particularmente atacados, de modo que seus fiéis seguidores eram tomados pela compaixão quando olhavam para ele". Com o tempo, ele não conseguia mais falar e enxergar, mal podendo caminhar, pois estava condenado a um declínio inexorável para a incapacidade física, pontuado pelos achaques da doença grave e debilitadora. O estigma religioso e social com relação à lepra era imenso. Comumente percebida como uma praga de Deus, indicativa do desfavor divino, também se acreditava que a doença era extremamente contagiosa, normalmente provocando o afastamento dos doentes da sociedade.[45] A situação de Balduíno era profundamente problemática – como monarca, ele era passível de crítica e incapaz de oferecer um governo estável; em termos dinásticos, não podia perpetuar a linhagem real, em parte porque os contemporâneos acreditavam que o contato sexual transmitia a lepra, mas também porque a enfermidade o tornara infértil.

De muitos modos, as esperanças no futuro concentravam-se em Sibila, a irmã de Balduíno. Sua juventude e a educação num convento significavam que ela não se qualificava a seguir os passos de sua avó Melisenda, que tratou de garantir sozinha a autoridade real. Assim, Raimundo de Trípoli ocupava-se com a busca por um marido adequado para Sibila. O candidato que acabou sendo escolhido foi Guilherme de Montferrat, um nobre da Itália do norte que era primo de dois dos monarcas mais poderosos da Europa, o rei Luís VII, da França, e o imperador alemão Frederico Barbarroxa (ou Barba-Ruiva, sobrinho do rei cruzado Conrado III, da Alemanha). Sibila e Guilherme de Montferrat casaram-se no final de 1176, mas em junho de 1177 ele caiu doente e morreu, deixando-a viúva e grávida. Ela deu à luz o filho Balduíno (V) em dezembro de 1177 ou em janeiro de 1178, e ele se tornou o herdeiro potencial do trono de Jerusalém.

Em meados da década de 1170, Raimundo de Trípoli também apoiou a carreira de Guilherme de Tiro, supervisionando sua nomeação como chanceler real e, em seguida, arcebispo de Tiro, e isso, em parte, pode explicar o relato bastante positivo da carreira de Raimundo na crônica de Guilherme. Foi dessa posição privilegiada, no centro da hierarquia política e eclesiástica do reino latino, que Guilherme observou e registrou a história do Ultramar.

O início do reinado de Balduíno IV

No verão de 1176, Balduíno IV atingiu a maioridade, e a regência do conde Raimundo teve fim. O jovem monarca lançou-se com entusiasmo à tarefa de reinar, apesar do gradativo agravamento de sua lepra, e deixou sua marca imediatamente. Revertendo a política diplomática de reaproximação praticada por Raimundo, Balduíno recusou-se a renovar a trégua com Damasco, e no início de agosto conduziu uma incursão de surpresa ao vale libanês de Biga, derrotando Turan-Shah num combate menor. Esta mudança de política com relação ao Islã foi acompanhada por um declínio da influência do conde de Trípoli e, durante o restante da década, Balduíno procurou orientação e apoio em outrem. Agora de volta à corte, sua mãe, Inês de Courtenay, parece ter estabelecido uma ligação próxima com o filho que antes ignorara. Ela certamente tornou-se uma influência significativa em sua vida, e em pouco tempo seu irmão Joscelino III foi nomeado senescal real, o mais alto cargo governamental do reino, com acesso ao tesouro e às propriedades reais. Depois de longos anos em uma prisão muçulmana, Joscelino havia sido recentemente libertado por Gumushtegin, de Alepo, como parte de um tratado para garantir o apoio da Antioquia francesa.

Esse mesmo pacto garantiu a liberdade a outro nobre destinado a moldar a história de Jerusalém, Reinaldo de Châtillon. Ele havia sido capturado por Nur al-Din em 1161, quando príncipe de Antioquia, mas muito havia mudado durante os quinze anos de seu encarceramento. A morte de sua esposa Constância e a ascensão de seu enteado Boemundo III em 1163 impediram Reinaldo de governar o principado sírio, mas, ao mesmo tempo, o casamento de sua enteada Maria de Antioquia com o imperador bizantino outorgou-lhe uma aura de prestígio. Assim, ele saiu da prisão como veterano bem relacionado e endurecido pelas batalhas, embora tecnicamente não dispusesse de terras. Essa anomalia logo foi resolvida pelo casamento de Reinaldo, abençoado pelo rei Balduíno, com Estefânia de Milly, a dama da Transjordânia, que lhe trouxe a posse de Kerak e Montreal, bem como uma posição na linha de frente da luta contra Saladino. Como príncipe sírio, Reinaldo tinha a fama de violência indomável, granjeada por seu ataque ao Chipre então controlado pelos gregos e suas infames tentativas, por volta de 1154, de extorquir dinheiro do patriarca latino de Antioquia, Aimery de Limoges. O infortunado prelado uma vez chegou a ser surrado, arrastado para a cidadela e forçado a ficar sentado um dia inteiro debaixo de um sol abrasador, com mel besuntando-lhe a pele nua para atrair enxames de incômodos insetos. No final da década de 1170, contudo, Reinaldo tornou-se um dos mais confiáveis aliados de Balduíno, fornecendo-lhe apoio nos campos de batalha, na diplomacia e na política.

Com o Egito e Damasco unidos sob Saladino e a saúde de Balduíno IV declinando, os francos palestinos fizeram repetidas tentativas, embora infrutíferas, de garantir ajuda estrangeira. Durante o inverno de 1176/1177, Reinaldo de Châtillon foi mandado como enviado real a Constantinopla para negociar uma aliança renovada com o imperador grego Manuel Comneno. Em setembro de 1176, os bizantinos tinham sido fragorosamente derrotados na Batalha de Myriokephalon (no oeste da Ásia Menor) pelo sultão seljúcida da Anatólia, Kilij Arslan II (que havia sucedido a Ma'sud em 1156). Em termos de homens e territórios, as perdas infligidas aos gregos como resultado desse revés foram relativamente limitadas. Mas um grande dano foi feito no prestígio bizantino na Europa e no Levante, com Manuel gastando boa parte do restante da década restringindo seus gastos. Na esperança de restabelecer a influência grega no cenário internacional, o imperador concordou com a proposta de Reinaldo de Châtillon, prometendo prover apoio naval para uma nova ofensiva aliada contra o Egito aiúbida. Em troca, o reino latino devia aceitar a condição de sujeição a um protetorado bizantino e um patriarca cristão ortodoxo reinstalado em Jerusalém.

Por certo tempo, pareceu que essa associação poderia gerar frutos. No final do verão de 1177, uma frota grega chegou a Acre, e isso coincidiu com o advento, no Levante, do conde Filipe de Flandres, filho do empenhado cruzado Thierry de Flandres, no comando de um grande contingente militar. Filipe aderira à cruzada em 1175 em resposta a apelos cada vez mais frequentes dos latinos do Ultramar por cruzados europeus ocidentais para a Terra Santa. Contudo, apesar de suas boas intenções, a expedição de Filipe acabou sendo um fiasco. Com os preparativos finais em andamento para um assalto ao Egito, discussões mesquinhas irromperam quanto a quem teria direitos à região do Nilo caso esta caísse e, entre recriminações mútuas, a projetada campanha entrou em colapso.

Desmantelada e alienada, a esquadra bizantina rumou para Constantinopla. Em setembro de 1177, o conde Filipe uniu forças com Raimundo III, de Trípoli, e, juntos, passaram o inverno tentando, sem sucesso, capturar primeiro Hama e, em seguida, Harim. Uma oportunidade real de quebrar, e talvez até de superar, a posição de Saladino no Egito havia sido desperdiçada. Tendo reunido uma imensa força defensiva para conter a esperada invasão cristã, o sultão de repente descobriu que não estava mais sob ameaça.

CONFRONTO

No final do outono de 1177, Saladino deu início à sua primeira campanha militar significativa contra o reino latino de Jerusalém desde a morte de Nur al-Din. Apesar da importância dessa expedição – a salva de abertura do sultão em seu papel autoproclamado de novo campeão *jihadi* do Islã –, seus precisos motivos e objetivos são um tanto obscuros. Com toda certeza, a ofensiva de 1177 não foi planejada como invasão em escala total da Palestina, objetivando a reconquista de Jerusalém, mas como ataque oportunista. Com seus exércitos já reunidos para se defenderem contra um esperado ataque, Saladino aproveitou a oportunidade para fazer uma afirmação prática de seu comprometimento com a guerra santa, buscando afirmar seu domínio marcial sobre os francos, ao mesmo tempo provendo um contrapeso a seu ataque no norte da Síria.

Saladino saiu do Egito à frente de mais de 20 mil cavaleiros, estabelecendo um comando avançado no assentamento fronteiriço de al-Arish. Deixando para trás sua pesada bagagem, ele avançou para o norte em direção à Palestina, alcançando Ascalão por volta de 22 de novembro. Ali, encontrou um assustado Balduíno IV. Com boa parte de seus soldados ao norte, ao lado de Filipe de Flandres e Raimundo III, o rei reuniu apressadamente na costa as tropas que conseguiu. Como observou um cristão oriental contemporâneo, "todos se preocuparam com a vida do rei doente, já meio morto, mas ele recorreu à sua coragem e cavalgou ao encontro de Saladino". A Balduíno juntaram-se Reinaldo de Châtillon, seu senescal Joscelino de Courtenay, uma força de cerca de seiscentos cavaleiros e alguns homens de infantaria, além do bispo de Belém carregando a Verdadeira Cruz. O exército fez uma breve tentativa de confrontar o avanço muçulmano, mas, incrivelmente superados em número, os francos logo se retiraram para dentro das muralhas de Ascalão, deixando Saladino livre para avançar em direção à Judeia.[46]

A Batalha do Monte Gisard

O sultão então cometeu um erro de cálculo fatal. Aparentemente julgando que os franceses permaneceriam intimidados dentro de Ascalão, ele permitiu que suas forças se espalhassem, atacando assentamentos latinos como Ramla e Lida, não deixando para trás nenhuma rede eficiente de batedores para monitorar os movimentos de Balduíno. O jovem rei, encorajado e ajudado por Reinaldo de Châtillon, contudo, não estava disposto a ficar inoperante enquanto seu reino era atacado. Juntando-se a oitenta cavaleiros templários estacionados em Gaza com seu mestre, Odo (ou Eudes) de Saint-Amand, Balduíno tomou a ousada (e talvez tola) decisão de confrontar Saladino. Como escreveu Guilherme de Tiro, "(o rei) achou que era mais prudente tentar a duvidosa oportunidade de batalha com o inimigo a expor seu povo à rapina, ao fogo e ao massacre". Esta era uma aposta potencialmente mortal.

Na tarde de 25 de novembro, o sultão avançava para o leste de Ibelin, com boa parte de seu exército espalhado pela vizinha planície costeira, quando o exército latino fez um aparecimento súbito e não anunciado. As tropas restantes de Saladino estavam margeando um pequeno rio perto da colina conhecida como Monte Gisard. Quando Reinaldo de Châtillon lançou uma quase imediata e pesada carga de cavalaria sobre suas fileiras desmanteladas, o sultão mostrou-se incapaz de organizar uma defesa eficiente, e sua força numericamente superior logo foi posta em retirada. Um muçulmano contemporâneo admitiu que "a debandada (...) foi total. Um franco avançou para Saladino, quase o alcançando, mas foi morto diante dele. Os franceses o cercaram, e ele tratou de fugir".

Enquanto o sultão mal conseguia escapar do campo, um feroz combate prosseguia. Tratando de salvar suas vidas, os soldados abandonaram armaduras e armas, enquanto os latinos os atormentavam perseguindo-os por mais de quinze quilômetros, até que a caída da noite finalmente ofereceu certo alívio aos muçulmanos. Houve pesadas baixas de ambos os lados, pois mesmo os triunfantes cristãos sofreram 1.100 delas, enquanto outros 750 feridos foram depois levados para o Hospital de São João em Jerusalém. Mas, embora a escala exata das perdas muçulmanas não seja clara, o sério abalo psicológico infligido é inquestionável. Saladino foi profundamente humilhado em Monte Gisard. Isa, seu amigo íntimo e conselheiro, foi feito prisioneiro pelos franceses e passou alguns anos em cativeiro antes de ser finalmente resgatado pela elevada soma de 60 mil dinares de ouro. O sultão foi forçado a fugir de cena, com a triste viagem de volta ao Egito demorando dez dias sucessivos de chuva fria e incomumente intensa, além da descoberta de que os erráticos beduínos haviam saqueado seu acampamento em al-Arish. Tendo sofrido com a falta de comida e água, Saladino finalmente venceu claudicante o Sinai no início de dezembro de 1177, abatido e esfarrapado.

A inevitável verdade é que sua própria negligência incauta havia exposto o exército à derrota e que, como consequência, sua reputação de segura liderança militar havia sido maculada. Em público, Saladino fez o que pôde para limitar o estrago, argumentando em correspondência que os latinos haviam, na verdade, perdido mais homens na batalha e explicando que a lentidão de sua volta ao Cairo se explicava porque "nós carregávamos os fracos e os feridos, avançando lentamente para que os retardatários pudessem (alcançar-nos)". Ele também gastou tempo e dinheiro recompondo seu exército. Contudo, Monte Gisard havia deixado suas cicatrizes íntimas. Imad al-Din admitiu que havia sido "um evento desastroso, uma terrível catástrofe", e, por mais de uma década, a dolorosa memória desse "terrível revés" permanecia, com o sultão reconhecendo que havia sido "uma grande derrota".[47]

O fardo de sangue

Qualquer perspectiva imediata de vingar esse revés foi reprimida pela necessidade de enfrentar a exasperante questão da inépcia de Turan-Shah. Saladino retornou a Damasco em abril de 1178, afastando seu irmão do governo, mas sendo então forçado a uma situação embaraçadora e intratável. Como compensação por sua destituição, Turan-Shah exigiu o governo de Balbeque – a rica e antiga cidade romana do Líbano, localizada no fértil vale de Biga. O problema era que o sultão já havia outorgado aquelas terras a Ibn al-Muqaddam em sinal de gratidão por sua ajuda na negociação da rendição de Damasco em 1174, e o emir agora se mostrava compreensivelmente relutante em abrir mão de seu prêmio. O deslindar da questão durante os meses que se seguiram foi revelador. Por um lado, ela enfatizou um problema consistente que perturbou Saladino durante toda sua carreira. Para construir seu "império", o sultão geralmente confiava em sua família, em vez de selecionar lugares-tenentes por mérito, mas essa confiança por vezes mostrava-se equivocada. Incompetentes, não confiáveis e até potencialmente desleais, figuras como Turan-Shah eram passivas – capazes de danificar gravemente o grande sonho de dominação aiúbida –, mas reiteradas vezes Saladino se mostrava relutante em se voltar contra seus parentes de sangue. Ao tentar resolver o dilema de Balbeque, o sultão também demonstrou que, para ampliar seus objetivos, ele de bom grado abraçaria uma manobra política intrincada e enganosa.

Depois de um verão de fracassos diplomáticos, Saladino foi para Balbeque no outono de 1178. Segundo Imad al-Din, ele começou a "lisonjear

Ibn al-Muqaddam, apesar de sua idade, como se faz com uma criança", mas como isso não produziu resultado, o sultão bloqueou a cidade até a chegada do inverno. Ao mesmo tempo, Saladino iniciou um programa de intensa propaganda para justificar sua intervenção. Ibn al-Muqaddam foi declarado dissidente e acusado amplamente, em cartas a Bagdá, de empregar uma "escória de ignorantes para defender a fronteira contra os franceses", e, mais tarde, de realmente estar em contato traiçoeiro com esses inimigos cristãos. Na primavera seguinte, o senhor "rebelde", com sua reputação abalada, foi forçado à submissão e um acordo foi acertado. Turan-Shah recebeu a Balbeque escolhida, mas seu governo ali parece ter sido incompetente e logo ele foi mandado para o Egito, onde morreu em 1180. Nesse ínterim, tendo sido submetido à vontade de Saladino, Ibn al-Muqaddam foi recebido de volta à congregação. Ricamente agraciado com terras ao sul de Antioquia e Alepo, ele permaneceu leal ao sultão pelo resto de sua carreira.[48]

A Casa da Dor

Enquanto ainda estava engajado na disputa por Balbeque, Saladino soube de um acontecimento alarmante na zona fronteiriça entre Damasco e o reino de Jerusalém. Procurando tirar proveito do entusiasmo pela vitória em Monte Gisard, Balduíno IV dera início a um esquema extremamente ameaçador, com o propósito de reforçar as defesas da Palestina e desestabilizar o domínio aiúbida da Síria.

Para entendermos o significado desses eventos, precisamos de algum conhecimento de como as fronteiras funcionavam no século XII. Em comum com a maior parte do mundo medieval, o território muçulmano e franco no Levante raramente era dividido pelo equivalente literal de uma fronteira moderna, mas era toscamente delineado por zonas fronteiriças – áreas de influência política, militar e econômica que se sobrepunham, onde nenhum dos dois lados exercia total soberania. O posicionamento dessas áreas de controle contestado, aparentadas com as terras de ninguém entre os reinos, amiúde estava intimamente relacionado com as características topográficas/geográficas, fossem montanhas, rios, densas florestas ou até desertos. E as tentativas de um governo de consolidar ou ampliar sua influência nessas regiões podiam ter profundas consequências sobre a estabilidade local e o equilíbrio geral do poder entre rivais.

No início do século XII, um desses casos foi o do principado latino de Antioquia, que procurou ampliar sua esfera de influência e autoridade para o leste, para além da zona fronteiriça natural com Alepo, as baixas e pedregosas colinas de Belus. A ameaça intensificada contra a sobrevivência de Alepo acabou por provocar a retaliação muçulmana, culminando na Batalha do Campo de Sangue em 1119. No final da década de 1170, um confronto similar ocorreu entre Balduíno IV e Saladino. Durante esse período, a crítica zona fronteiriça entre seus respectivos reinos ficava ao norte do mar da Galileia e correspondia em grande parte ao curso superior do rio Jordão. Anteriormente, o epicentro da luta pelo controle do local ficava a nordeste, na fortaleza de Banyas. Mas depois que ela foi capturada por Nur al-Din em 1164, a influência latina a leste do Jordão diminuiu, e o *status quo* resultante favorecia os muçulmanos de Damasco.

Em outubro de 1178, Balduíno IV imaginou um novo e ousado plano de controlar a zona fronteiriça no curso superior do rio Jordão. Seu alvo não era a reconquista de Banyas, mas a construção de uma fortificação inteiramente nova na margem ocidental do Jordão, ao lado de uma antiga travessia conhecida pelos franceses como Vau de Jacó e, em árabe, Bait al-Ahzan, a Casa da Dor (onde, segundo se afirmava, Jacó tinha ido lamentar a suposta morte de seu filho). Com pântanos rio acima e corredeiras ao sul, esse vau era a única travessia do Jordão ao longo de quilômetros e, como tal, funcionava como importante acesso entre a Palestina latina e a Síria muçulmana, oferecendo acesso à fértil região da Terre de Sueth. E o crucial era que o Vau de Jacó também ficava a apenas um dia de marcha de Damasco.

Balduíno esperava poder reequilibrar a balança do poder regional em favor dos franceses ao construir um grande castelo no local. Ele teve como sócios os templários, que já controlavam um território ao norte da Galileia, e juntas, a coroa e ordem envolveram-se seriamente com o projeto. Entre outubro de 1178 e abril de 1179, Balduíno chegou a mudar sua sede de governo para o local da construção para que pudesse agir como supervisor e protetor, estabelecendo uma cunhagem para a produção de moedas especiais para pagar a imensa mão de obra e emitindo cartas-patentes reais no local.

Esse castelo punha em risco o crescimento do Império Aiúbida, pois prometia servir aos franceses como arma defensiva e ofensiva. As fortalezas raramente conseguiam – se é que o faziam – selar ou bloquear totalmente uma fronteira, pois os exércitos que as atacavam podiam marchar ao seu redor ou, com homens e recursos suficientes, acabar por abrir caminho por suas defesas. Mas os castelos realmente ofereciam um local relativamente seguro para estacionar forças armadas, e estas podiam ser empregadas para impedir qualquer invasão inimiga. A presença de um forte templário no Vau de Jacó com certeza prejudicaria a capacidade do sultão de atacar o reino latino. Sua guarnição também estaria em condições de atacar o território muçulmano, saquear caravanas comerciais e ameaçar a própria Damasco. E com sua capital sob ameaça, os ambiciosos planos de Saladino de ampliar sua autoridade sobre Alepo e a Mesopotâmia provavelmente ficariam comprometidos. O perigo representado pela fortaleza em construção ao lado do Jordão, portanto, não podia ser ignorado. Infelizmente, com suas tropas entrincheiradas em Balbeque, um ataque militar direto ao Vau de Jacó não era algo possível; inicialmente, o sultão buscou usar o suborno em lugar da força bruta. Ele ofereceu aos francos, primeiramente 60 mil e, em seguida, 100 mil dinares se eles suspendessem o trabalho de construção e abandonassem o local. Mas, apesar da fortuna oferecida, Balduíno e os templários a recusaram.

À primeira vista, toda a evidência escrita que sobreviveu parece sugerir que o castelo no Vau de Jacó foi terminado em abril de 1179, quando o rei leproso passou o comando da fortaleza para os templários. Guilherme de Tiro certamente a descreveu como "completa em todas as suas partes", depois de tê-la visto com seus próprios olhos naquela primavera. Testemunhas oculares muçulmanas também confirmaram esse fato, com uma fonte árabe descrevendo suas muralhas como "uma impugnável barreira de pedra e ferro". Até a década de 1990, os historiadores sempre entenderam que isso significava que um castelo concêntrico completamente cercado – com uma muralha interna e uma externa – tinha sido construído no Vau de Jacó e era uma fortaleza incrivelmente extraordinária. Mas, em 1993, o estudioso israelense Ronnie Ellenblum redescobriu a localização dessa fortaleza franca há muito perdida. Sua investigação arqueológica do sítio, à frente de uma equipe internacional de especialistas e ainda em andamento, reformulou nossa compreensão dos fatos e a interpretação das fontes escritas. Escavações comprovaram de modo conclusivo que, em 1179, o Vau de Jacó não era um castelo concêntrico – na verdade, ele só tinha uma muralha em seu perímetro e uma única torre, e ainda estava efetivamente em construção. Isso sugere que, para Guilherme de Tiro e seus contemporâneos, uma fortaleza "completa" era cercada e defensável, e não totalmente formada, e que este castelo em particular na verdade ainda estava com suas obras em andamento.

Para Saladino, isso significava, de maneira decisiva, que o Vau de Jacó ainda era relativamente vulnerável e, a partir da primavera de 1179, com Balbeque sob controle, ele voltou para Damasco para enfrentar o problema dessa fortaleza. Os meses que se seguiram viram uma série de escaramuças inconclusivas, com os dois lados avaliando um ao outro. Saladino comandou uma força expedicionária para testar o poderio do Vau de Jacó, mas logo bateu em retirada quando um de seus comandantes foi morto por uma flecha dos templários. Não obstante, durante duas outras investidas as tropas do sultão bateram as forças de Balduíno em batalhas menores. Em uma delas, o condestável do rei – seu principal conselheiro militar – foi morto; em outra, o mestre templário Odo foi feito prisioneiro com outros 270 cavaleiros. Essas vitórias romperam a estrutura do comando militar dos cristãos e, de alguma forma, reabilitaram a humilhação muçulmana em Monte Gisard. Quando o prato da balança tornou a se inclinar em favor de Saladino, o rei Balduíno bateu em retirada para Jerusalém para se reorganizar, enquanto o sultão solicitava reforços do norte da Síria e do Egito.

No final de agosto de 1179, Saladino estava pronto para lançar um ataque em escala total ao Vau de Jacó. No dia 24, um sábado, ele deu início a um cerco baseado no assalto, com a intenção de penetrar no castelo o mais rapidamente possível. Não houve tempo para um cerco prolongado, pois o rei leproso agora estava estacionado perto de Tiberíades, às margens do mar da Galileia, a apenas meio dia de marcha para o sudoeste. Assim que as notícias do ataque chegaram a ele, o rei começou a reunir um exército de libertação, de modo que o cerco foi uma verdadeira corrida, em que os muçulmanos lutavam para romper as defesas da fortaleza antes que os latinos chegassem. Em seu conjunto, os registros escritos contemporâneos e a evidência arqueológica sendo agora descoberta oferecem um quadro vívido do que aconteceu nos sinistros cinco dias seguintes. Saladino começou a bombardear a fortaleza com flechas vindas do leste e do oeste – centenas dessas pontas foram recuperadas nessas duas frentes –, buscando desmoralizar a guarnição dos templários. Ao mesmo tempo, mineiros especializados, provavelmente da Alepo síria, receberam a incumbência de cavar um túnel sob o canto nordeste das muralhas, na esperança de derrubá-las por meio da técnica do solapamento. Um túnel foi rapidamente escavado e enchido com madeira, mas quando esta foi incendiada, percebeu-se que o túnel era pequeno demais para provocar uma ruptura nas muralhas acima. Em desespero, o sultão ofereceu um dinar de ouro para cada soldado que carregasse uma pele de cabra com água do rio para apagar as chamas, e o trabalho prosseguiu noite e dia para aumentar o túnel. Nesse ínterim, Balduíno estava se preparando para sair de Tiberíades.

No alvorecer do dia 29 de agosto, o rei leproso partiu com seu exército para liberar a fortaleza. Sem que ele soubesse, naquele exato momento fogueiras estavam sendo acesas no túnel ampliado do assédio de Saladino. Os suportes de madeira foram devidamente queimados, e a passagem, escavada, derrubando as muralhas. Saladino posteriormente escreveu que, à medida que as chamas se espalhavam, o castelo parecia "um navio à deriva num mar de fogo". Quando suas tropas avançaram pelas fendas abertas nas muralhas, ocorreu um desesperado combate homem a homem, enquanto a guarnição de elite dos templários tentava uma resistência que se revelou inútil. Num último ato desesperado de bravura, o comandante da guarnição dos templários montou em seu cavalo e avançou pela brecha em chamas; uma testemunha ocular muçulmana mais tarde descreveu como "ele se atirou em um buraco cheio de fogo sem medo do intenso calor e, deste braseiro, ele se lançou imediatamente a outro: o do Inferno".

Com as defesas do castelo rompidas, a guarnição latina foi finalmente derrotada, seguindo-se um saque sanguinário. Os restos humanos recentemente escavados ao longo do perímetro da muralha dão testemunho da ferocidade do assalto. Um esqueleto masculino exibe a prova de três cortes de espada em separado, dos quais o último abriu-lhe a cabeça, esmagando o cérebro. Outro soldado teve o braço decepado acima do cotovelo antes de ser morto. Com boa parte do local agora em chamas, Saladino executou mais da metade da guarnição, reunindo uma montanha de saques, incluindo mil armaduras. Ao meio-dia daquela quinta-feira, avançando em direção norte, Balduíno teve o primeiro vislumbre desesperado de fumaça no horizonte – evidência reveladora da destruição do Vau de Jacó. Ele estava atrasado apenas seis horas.

Nas duas semanas seguintes, Saladino desmantelou o castelo do Vau de Jacó, derrubando pedra por pedra. Na verdade, ele mais tarde afirmou que havia rasgado os alicerces com as próprias mãos. A maioria dos latinos mortos, juntamente com seus cavalos e mulas, foram atirados na enorme cisterna da fortaleza. Foi uma péssima decisão, pois logo irrompeu uma "peste", devastando o exército muçulmano e tirando a vida de dez dos comandantes de Saladino. Em meados de outubro, com seu principal objetivo alcançado, o sultão decidiu deixar o local aparentemente amaldiçoado, e o Vau de Jacó tornou-se uma ruína abandonada e esquecida.[49]

Os triunfos de Saladino no verão de 1179 interromperam o impulso marcial dos francos que vinha ocorrendo desde o Monte Gisard. A tentativa dos latinos de tomar a iniciativa na zona fronteiriça do curso superior do Jordão e de pressionar Damasco foi bloqueada. O sultão havia protegido sua unificação do Egito com a Síria. Mas a obra de unificação do Islã pela subjugação de Alepo e Mossul permanecia inconclusa.

11. O SULTÃO DO ISLÃ

Embora Saladino tivesse obtido uma série de vitórias contra os francos em 1170, no início da década de 1180 ele voltou a se ocupar da construção do império, devotando a maior parte de sua energia e recursos à consolidação de seu controle sobre o Egito e Damasco, bem como à expansão de sua autoridade sobre os muçulmanos de Alepo e Mossul. Na primavera de 1180, com a Síria sofrendo os efeitos da fome e de uma seca prolongada, ele concordou com uma trégua de dois anos com os latinos – um pacto evidentemente considerado vantajoso para os dois lados, visto que nenhum deles pagava um tributo em dinheiro para garantir a paz. Este acordo deixou Saladino livre para se ocupar de uma série de questões do mundo muçulmano.

GUIAR PARA DOMINAR

Uma das prioridades de Saladino foi neutralizar o crescente poder de Kilij Arslan II, o sultão seljúcida de Anatólia. Kilij Arslan tinha mostrado uma disposição agressiva desde que derrotou os bizantinos em Myriokephalon em 1176, afirmando, com certa justificativa, ser o verdadeiro campeão em ascensão da *jihad* islâmica. Saladino distribuiu uma propaganda destinada a desacreditar o líder seljúcida, argumentando que ele se opunha à unidade muçulmana – Saladino até explicou sua trégua com os francos de Jerusalém em 1180 a Bagdá, afirmando que não podia se ocupar simultaneamente das graves ameaças de Kilij Arslan e dos cristãos latinos. No verão de 1180, Saladino deixou seu sobrinho Farrukh-Shah no controle de Damasco e levou tropas para o norte, fazendo alianças com algumas cidades da região do curso superior do Eufrates para conter as ambições de Kilij Arslan com relação à Ásia Menor. Saladino também usou a pressão militar para forçar o mais recente governante armênio da Cilícia, Ruben

III, a aceitar um pacto de não agressão, assim neutralizando de modo eficiente os cristãos armênios como opositores à expansão aiúbida.

Por volta dessa época, uma série de mortes alterou o cenário político. Em 1180, o imperador bizantino Manuel Comneno faleceu, deixando como herdeiro um filho de onze anos de idade que, dois anos depois, foi suplantado pelo primo de Manuel, Andrônico Comneno. Esse período foi marcado por um declínio gradativo das relações entre os gregos e os Estados cruzados, o que serviu aos interesses de Saladino. Em 1181, os bizantinos firmaram um tratado de paz com o sultão, um primeiro sinal de seu realinhamento com a neutralidade no Levante. A tomada do poder por Andrônico em 1182 foi acompanhada por um massacre de latinos que viviam e exerciam o comércio em Constantinopla, e o novo imperador pouco se esforçou para restabelecer os laços de cooperação com o Ultramar.

Mudanças similares ocorreram no Oriente. Em 1180, o califa abássida e seu vizir também morreram. Ciente de que isso poderia anunciar um perigoso declínio no apoio de que gozava em Bagdá, Saladino tratou de estabelecer laços cuidadosos com o novo califa al-Nasir. Os zênguidas também sofreram suas perdas. No verão de 1180, Saif al-Din, de Mossul, morreu e foi sucedido por seu irmão mais jovem, Izz al-Din. O final de 1181 viu a morte por doença do filho de Nur al-Din e seu herdeiro oficial, al-Salih, com apenas dezenove anos de idade. Esse evento foi de total importância para as futuras ambições de Saladino. Nessa altura, al-Salih começara a surgir como oponente potencialmente formidável, especialmente após a morte de Gumushtegin como resultado de uma intriga da corte de Alepo. Como figura de proa da legitimidade zênguida, al-Salih representava a promessa de continuidade da dinastia e gozava da abjeta lealdade do populacho de Alepo. Se tivesse sobrevivido, al-Salih poderia ter representado um sério desafio para a ascendência dos aiúbidas; no mínimo, sua presença continuada teria enfraquecido a alegação de Saladino de ser o único campeão, por direito, do Islã, e provavelmente posto fim às esperanças do sultão de absorver o norte da Síria sem apelar para a guerra declarada. Embora o poder em Alepo logo passasse para o irmão mais velho de Saif al-Din, Imad al-Din Zengui de Sinjar, a morte de al-Salih presenteou Saladino com uma oportunidade há muito aguardada de ampliar seu poder dentro do mundo muçulmano.[50]

Saladino fez cuidadosos preparativos para uma nova campanha contra os zênguidas de Alepo e Mossul. Tendo passado a maior parte de 1181 e do início de 1182 ocupando-se do governo do Egito, Saladino partiu para a Síria na primavera de 1181, deixando al-Adil e Qaragush no controle da região do Nilo. Alarmado pelas notícias de que o sultão passaria pela Transjordânia em maio, e particularmente temeroso de que a colheita de cereais da região, prestes a ser realizada, pudesse ser destruída, Reinaldo de Châtillon convenceu Balduíno IV a reunir a total força militar do reino em Kerak. Saladino, na verdade, fez suas tropas passarem pelo castelo em ordenada formação, mas sem atacá-lo, e nenhuma batalha foi travada.

A trégua acordada com os francos em 1180 agora caducara, e nesse verão os aiúbidas fizeram várias tentativas de ataque ao reino latino de Jerusalém. Quando Saladino marchava pela Transjordânia, de sua base em Damasco Farrukh-Shah explorou o fato de a Galileia latina estar desprovida de tropas, capturando a pequena caverna-fortaleza de três andares, a sudeste do Mar da Galileia, conhecida como Caverna de Sueth, seu último posto avançado fortificado na Terre de Sueth. Então, em julho e agosto o sultão comandou duas expedições contra os franceses. A primeira, uma invasão da Baixa Galileia e um breve cerco da fortaleza de Bethsan, permitiu que o rei Balduíno tornasse a reunir seu exército em Séforis. Esse ponto, a meio caminho entre Acre e Tiberíades, que contava com uma fonte abundante de água e belas pastagens, era um local natural para a reunião do exército cristão. Um embate militar inconclusivo ocorreu perto de Bethsan, travado sob um escaldante sol de verão em 15 de julho. Abrasado, o clérigo latino que carregava a Verdadeira Cruz morreu de insolação, enquanto os homens de Saladino, mesmo depois de terem cruzado novamente o Jordão, acharam seu primeiro acampamento insuportável; segundo uma testemunha ocular, a água salobra e o ar pestilento significavam que "o ofício dos médicos teve um incrível incremento", e uma nova retirada para Damasco logo foi feita.[51]

Em agosto de 1182, Saladino voltou a atacar, e desta vez seu objetivo era a cidade costeira de Beirute. A marinha egípcia renovada já havia sido posta em uso em 1179-80, atacando cargueiros latinos em torno de Acre e Trípoli, mas o sultão agora usou sua esquadra para lançar uma ofensiva em duas frentes, assediando Beirute por terra e por mar. Durante três dias seus arqueiros castigaram a cidade, enquanto sapadores procuravam minar suas muralhas, mas quando o socorro de Balduíno se aproximou, Saladino interrompeu o assalto, atacando os campos circunvizinhos enquanto retrocedia para território muçulmano.

Nenhuma dessas campanhas de 1182 foi de fato determinante, mas constituíram incursões oportunistas, destinadas a minar a força e a reação dos franceses, enquanto infligiam dano e se apossavam de recursos territoriais e materiais a risco e custo mínimos. Assim, elas estabeleceram o padrão para os anos futuros. Essas demonstrações de aparente compromisso com a *jihad* também permitiram que Saladino justificasse suas tentativas em andamento de subjugar a Síria muçulmana e a Mesopotâmia – de maneira óbvia, sua real prioridade. Uma série de cartas enviadas por Saladino ao califa de Bagdá revela os protestos e argumentos intrincados dos aiúbidas deste período. O sultão se queixava de que havia demonstrado sua boa vontade de se juntar à guerra santa contra os latinos, mas era constantemente desviado dessa intenção pela ameaça de agressão zênguida – a urgente necessidade exigia unidade islâmica, e Saladino sugeriu que deveria ter o poder de subjugar quaisquer muçulmanos que se recusassem a se juntar a ele na *jihad*. Ao mesmo tempo, os governantes zênguidas de Alepo e Mossul eram caracterizados como inimigos rebeldes do estado. Eram acusados de tomar o poder com base na sucessão hereditária, quando, por lei, o comando dessas cidades deveria ter sido uma concessão do califa. Dizia-se que Izz al-Din, de Mossul, havia concordado com uma trégua submissa de onze anos com Jerusalém (assim rompendo o limite prescrito de dez anos para os pactos entre muçulmanos e não muçulmanos), prometendo pagar aos cristãos um tributo anual de dez mil dinares. Acusações similares foram posteriormente igualadas às feitas a Imad al-Din Zengui por suas negociações com Antioquia. Cortejando o apoio califal e a grande parte da opinião pública com esse bombardeio de propaganda, Saladino preparava o terreno para uma grande ofensiva contra os zênguidas.

A sinalização para a ação veio no final do verão de 1182, enquanto ele ainda estava engajado no breve cerco de Beirute, ao chegar uma mensagem de Keukburi, de Harã, um senhor da guerra turco que até então tinha apoiado os zênguidas e lutado contra Saladino em 1176. Keukburi agora convidava os aiúbidas a cruzarem o Eufrates, assim proclamando efetivamente sua disposição de mudar de lado.[52] Em resposta, o sultão reuniu um exército e partiu naquele outono para uma campanha no Iraque, sem renovar nenhuma trégua com Jerusalém.

As campanhas de Saladino contra Alepo e Mossul (1182-3)

No final de setembro de 1182, Saladino usou o convite de Keukburi como pretexto para lançar uma expedição, marchando para leste a fim de se juntar ao senhor de Harã perto do Eufrates, e dali avançar por Jazira. Nos meses que se seguiram, o sultão fez esforços extenuantes para limitar os embates declarados com seus rivais muçulmanos, preferindo a coerção, a diplomacia e a propaganda à espada. Em breve começou a solicitar fundos adicionais de Damasco e do Egito com que pudesse comprar seus oponentes. Até Guilherme de Tiro estava ciente de que o sultão usava o suborno escandaloso para subjugar rapidamente "quase toda a região... anteriormente sob o controle de Mossul", incluindo Edessa.[53]

Em novembro, Saladino marchou para ameaçar a própria Mossul. Apesar do incentivo de Keukburi, o sultão mostrava-se relutante em se comprometer com um assédio difícil e sanguinário da cidade, mas suas esperanças de atemorizar Izz al-Din para obter sua submissão não se concretizavam. Ainda num impasse com a vinda do inverno, chegaram enviados do califa al-Nasir, na esperança de negociar a paz. Para a decepção de Saladino, eles adotaram uma posição neutra, não favorecendo nem os aiúbidas nem os zênguidas, e diante do pequeno progresso obtido o sultão se retirou. Em dezembro, ele marchou cerca de 120 quilômetros para leste, em direção a Sinjar, onde forçou a principal cidade murada a se render e, depois de uma breve pausa devido às péssimas condições climáticas do inverno, avançou para Diar Baquir, a nordeste, no início da primavera de 1183, capturando a supostamente impugnável capital em abril; depois desse sucesso, o governante artúquida de Mardin concordou com uma aliança de submissão. Em seis meses, Saladino havia isolado, mas não enfraquecido, Mossul, conquistando boa parte de Jazira e Diar Baquir por meio de um misto de força e persuasão. Em toda parte, os zênguidas pouco puderam fazer em resposta. Izz al-Din e Imad al-Din tentaram organizar um contra-ataque no final de fevereiro, mas lhes faltaram recursos e coragem para realizá-lo.

Saladino havia feito um progresso satisfatório, mas Mossul permanecia além de seu alcance. Nessa primavera ele iniciou uma investida diplomática cada vez mais agressiva, na esperança de colocar Bagdá a seu favor. Suas cartas ao califa acusavam os zênguidas de incitar os franceses a atacarem território aiúbida na Síria e até de patrocinar o esforço de guerra cristão. O sultão também apelou para o desejo do califa al-Nasir de poder político e espiritual, declarando que os aiúbidas forçariam a Mesopotâmia a reconhecer a autoridade califal. Saladino acrescentou ousadamente que apenas se Bagdá endossasse sua reivindicação de Mossul ele teria condições de conquistar Jerusalém, Constantinopla, a Geórgia e o Marrocos. Por volta da mesma época, o sultão tentou insidiosamente interromper a solidariedade zênguida, contatando Imad al-Din Zengui para adverti-lo de que Izz al-Din, de Mossul, havia supostamente se oferecido para uma aliança com os aiúbidas contra Alepo.

A partir do final da primavera, Saladino deslocou o foco de sua campanha para Alepo, tornando a atravessar o Eufrates para estacionar tropas em torno da cidade em 21 de maio de 1183. Mais uma vez, o sultão esperava evitar o conflito aberto, mas os habitantes de Alepo rapidamente demonstraram sua disposição de defender o que lhes pertencia, lançando ataques diários e ferozes contra suas tropas. Para a sorte de Saladino, Imad al-Din Zengui mostrou-se mais maleável. Concluindo que o domínio aiúbida sobre a Síria agora era imbatível e que sua posição isolada era, portanto, insustentável, o governante zênguida negociou secretamente com o sultão. No dia 12 de junho, ele concordou com os termos, abrindo as portas da cidadela de Alepo para as tropas de Saladino, para grande choque da população local. Como forma de compensação, Imad al-Din Zengui recebeu uma parcela de território da Jazira, incluindo sua antiga soberania em Sinjar, ao mesmo tempo que prometia fornecer tropas ao sultão sempre que solicitado. Jurdik – o senhor da guerra turco que havia ajudado Saladino a prender o vizir egípcio Shawar em 1169 – também foi vencido naquele verão. Desde 1174, Jurdik havia permanecido ferrenhamente leal a Alepo, recusando-se a apoiar os aiúbidas. Agora, por fim, ele entrou para o serviço do sultão, tornando-se dos seus mais devotados e capacitados lugares-tenentes.

Uma vez no controle de Alepo, Saladino imediatamente procurou limitar a inquietação civil e engendrar uma atmosfera de unidade. Os impostos não corânicos foram abolidos e, ainda naquele verão, uma lei foi promulgada ordenando que os não muçulmanos da cidade usassem roupas que os diferenciassem, uma medida aparentemente destinada a promover a coesão entre os sunitas e xiitas de Alepo e apressar sua aceitação do governo aiúbida.

A ocupação de Alepo foi uma grande realização para Saladino. Depois de quase uma década ele havia unificado a Síria muçulmana e agora podia reclamar o domínio de uma faixa de território entre o Nilo e o Eufrates. Algumas cartas que sobreviveram revelam a maneira pela qual o sultão celebrou e alardeou seu sucesso. Como sempre, também tomou o cuidado de justificar sua conquista, declarando que de bom grado compartilharia o comando do Islã se pudesse, mas acrescentando que, na guerra, apenas um homem podia assumir o comando. A subjugação de Alepo foi descrita como um passo adiante no caminho para a recaptura de Jerusalém, e ele declarou orgulhosamente que "o Islã agora despertou para afugentar o fantasma noturno da descrença".[54]

Contra o pano de fundo dessa retórica, ficava óbvio, no sinal do verão de 1183, que Saladino tinha, até certo ponto, cumprido a promessa implícita em sua propaganda de atacar os francos. Para assegurar as defesas do norte da Síria, concordou com uma trégua com Boemundo III, de Antioquia, garantindo termos extremamente favoráveis para o Islã – incluindo a libertação de prisioneiros muçulmanos e concessões territoriais – antes de viajar para o sul em direção a Damasco para orquestrar uma exibição de força contra o reino de Jerusalém.

A GUERRA CONTRA OS FRANCOS

O equilíbrio do poder na Palestina franca havia se modificado de modo significativo nos anos recentes. No final da década de 1170, com a saúde do rei Balduíno IV se agravando, uma aliança matrimonial fora planejada entre Sibila, sua irmã viúva, e o eminente nobre Hugo III, duque da Borgonha. A morte do rei Luís VII da França em 1180, deixando seu jovem filho Filipe Augusto como herdeiro do trono, interferiu nesse esquema, pois a iminente luta pelo poder na França significava que Hugo não se mostrava disposto a deixar seu ducado. Um novo marido para Sibila, portanto, tinha que ser encontrado. Nesse ponto, Raimundo III, de Trípoli, e Boemundo III, de Antioquia, parecem ter decidido que, no interesse de suas próprias ambições e no da continuada segurança de Jerusalém, Balduíno IV precisava ser afastado do poder. Na Páscoa de 1180, os dois tentaram orquestrar o que, na essência, era um golpe de estado, forçando Sibila a se casar com o aliado por eles escolhido, Balduíno de Ibelin, membro da cada vez mais poderosa dinastia dos ibelinos. Se esse casamento tivesse ocorrido, o rei leproso poderia não ter sido importunado, mas Balduíno IV não estava disposto a abrir mão de sua influência quanto à sucessão. Com o incentivo de sua mãe e tio, Joscelino de Courtenay, ele assumiu a iniciativa. Antes que Raimundo e Boemundo pudessem intervir, o rei casou Sibila com o candidato de sua preferência, Guy de Lusignan, um cavaleiro da nobreza de Poitou, recentemente chegado ao Levante.

Em parte, a escolha de Balduíno foi orientada pela necessidade, pois Guy era o único homem solteiro adulto de nascimento suficientemente nobre então presente na Palestina. A ligação de Guy com Poitou – uma região governada pelo rei angevino Henrique II da Inglaterra – também pode ter sido um fator, pois com a França capetíngia em desalinho, a importância da Inglaterra como aliada foi incrementada. Não obstante, o surgimento de Guy como principal ator político foi, ao mesmo tempo, súbito e inesperado. Com seu casamento com Sibila, ele se tornou o herdeiro designado do trono de Jerusalém. Também se esperava que ele assumisse o papel de regente se Balduíno IV ficasse incapacitado devido à doença. A questão era se a precipitada elevação de Guy alienaria ou desagradaria outros importantes membros da corte, inclusive Raimundo de Trípoli e os ibelinos. As qualidades de Guy como líder político e militar também permaneceriam desconhecidas, bem como sua disposição de refrear suas próprias ambições pela coroa enquanto Balduíno IV vivesse, para chegar ao poder.[55]

A incitação da agressão latina

A decisão de Saladino de lançar uma ofensiva contra a Palestina latina no outono de 1183 não foi deslanchada apenas por um desejo de afirmar suas credenciais da *jihad*. Até certo ponto, seus ataques também foram uma resposta retaliatória à recente agressão franca. No final de 1182, durante a ausência do sultão no Iraque, os francos atacaram as regiões em torno de Damasco e Bosra, retomando a Caverna de Sueth.

Ao sul, na Transjordânia, Reinaldo de Châtillon iniciou uma campanha mais deliberadamente beligerante, um ataque para o qual ele se preparara (provavelmente em acordo com o rei) por uns dois anos. O serviço de inteligência de Saladino havia advertido que o senhor de Kerak estava planejando um ataque, mas o sultão pressupôs erroneamente que esse ataque se concentraria na rota que cortava o Sinai, ligando o Egito a Damasco, e assim incumbiu al-Adil de incrementar as fortificações no contingente-chave de al-Arish. Na verdade, o esquema de Reinaldo era muito mais ousado e corajoso, mesmo sendo, em termos estratégicos, menos ponderado. No final de 1182 para o início de 1183, cinco galeras, construídas por partes em Kerak, foram transportadas em lombo de camelos para o Golfo de Aqaba, montadas e lançadas no Mar Vermelho. Esta foi a primeira vez em séculos que navios cristãos singravam aquelas águas. Reinaldo dividiu sua frota, com dois navios bloqueando o porto de Aqaba, controlado pelos muçulmanos, que ele próprio atacou por terra, e os três navios restantes foram mandados para o sul, equipados com navegadores árabes e manejados por soldados. Aparentemente, as notícias das extraordinárias proezas dessa flotilha de três navios nunca chegaram aos francos. Uma única fonte latina registrou que, depois de seu lançamento, "nada se ouviu deles e ninguém sabe o que houve com eles", e, tendo infligido alguns danos a Aqaba, Reinaldo voltou para casa.

No mundo muçulmano, entretanto, a chocante expedição sem precedentes ao Mar Vermelho causou indignação. Durante semanas, as três galeras cristãs causaram destruição nos desavisados portos do Egito e da Arábia, atingindo peregrinos e mercadores, além de ameaçar o coração espiritual do Islã, as cidades sagradas de Meca e Medina. Chegou-se a dizer que os cristãos tencionavam roubar o cadáver de Maomé. Foi só quando al-Adil levou sua própria frota do Cairo para o Mar Vermelho que os navios cristãos foram perseguidos. Forçada a aportar seus navios na costa arábica, a tripulação cristã fugiu para o deserto, mas, depois de encurralada, 170 de seus homens se entregaram, provavelmente em troca da promessa de um salvo-conduto. No final, contudo, suas vidas não foram poupadas.

Informado dos eventos enquanto estava no Iraque, Saladino insistiu que um exemplo fosse dado: oficialmente, argumentou que os infiéis que conhecessem os caminhos para as cidades mais sagradas do Islã não poderiam continuar vivos; em particular, é claro, ele devia estar muito consciente de uma verdade pouco confortável. Nesse exato momento de crise infame, o autoproclamado campeão da fé estava ausente, lutando contra muçulmanos. Assim, apesar do evidente mal-estar de al-Adil, o sultão exigiu retribuição pela "enormidade sem paralelo" dos crimes dos prisioneiros latinos e, segundo um testemunho árabe, insistiu que "a terra deve ser purgada de sua sujeira e o ar de seu hálito". A maioria dos cativos foi enviada, individualmente ou em pares, para várias cidades e assentamentos do reino aiúbida e executados em público, mas dois foram poupados para um destino ainda mais chocante. Quando do *Hajj* seguinte, foram levados a um local nos arredores de Meca, onde animais são tradicionalmente oferecidos em sacrifício e sua carne entregue para alimentar os pobres; ali os dois infortunados cativos foram trucidados "como animais para o sacrifício" diante de uma ululante multidão de peregrinos. A conspurcação da Arábia havia sido punida, e a imagem do sultão como resoluto defensor do Islã, confirmada, mas a lembrança amarga da "escandalosa campanha francesa no Mar Vermelho permaneceu, e seu arquiteto, Reinaldo de Châtillon, então se tornou uma figura desprezada e odiada.[56]

Uma crescente onda de conflito?

Quando o ataque de Saladino ao reino de Jerusalém finalmente aconteceu, no outono de 1183, a profunda debilidade da Palestina cristã foi colocada à mostra. Naquele verão, a saúde de Balduíno IV voltou a se deteriorar. Nessa altura, a lepra já havia deixado seu corpo em ruína, pois "sua vista falhava e suas extremidades estavam cobertas de ulcerações, de modo que ele era incapaz de usar as mãos ou os pés". Incapacitado de percorrer qualquer distância a cavalo, ele se acostumara a se deslocar numa liteira. Não obstante, até este ponto, Guilherme de Tiro atestava que "embora fisicamente fraco e impotente, ele se mostrava mentalmente vigoroso, e, muito acima de suas forças, lutava por esconder sua doença e se ocupar dos negócios do reino". Agora em 1183, contudo, uma espécie de infecção secundária o atormentava e, "atacado por (uma) febre... perdera toda esperança de vida". Devastado pela enfermidade, desesperadamente temeroso de que Saladino deslanchasse um novo ataque, embora desconhecendo completamente onde isso ocorreria, o jovem rei estava num terrível dilema. Convocando as forças de Jerusalém, mais as de Trípoli e Antioquia, para se reunirem em Séforis, ele se retirou para Nazaré e temporariamente transferiu o poder executivo para seu cunhado, o herdeiro aparente, Guy de Lusignan.

Como regente, Guy assumiu o cargo de comandante em chefe latino quando Saladino invadiu a Galileia no final de setembro de 1183. Ele estava à frente das maiores forças francas já reunidas na Palestina – com cerca de 1.300 cavaleiros e 15 mil soldados de infantaria –, embora ainda diminutas se comparadas com as forças muçulmanas. Com pouca ou nenhuma experiência de comandar um exército dessa envergadura em meio a uma guerra total, as habilidades de Guy certamente seriam postas à prova, mas em termos da ciência militar ele desempenhou um papel eficiente, embora ainda nada apresentando de espetacular. Quando Saladino mais uma vez pilhou Bethsan, Guy avançou de maneira ordenada, usando a infantaria como anteparo de seus cavaleiros durante a marcha e, impedindo confrontos menores, evitou o envolvimento em uma batalha apressada. Na esperança de tentar os latinos a romperem formação, Saladino retirou-se a uma curta distância para o norte, mas nenhuma perseguição aconteceu e os dois lados assumiram posições defensivas, distantes seiscentos metros um do outro, perto da vila de Ayn Jalut. Um impasse se prolongou por quase duas semanas, apesar dos esforços do sultão de provocar um ataque, e em meados de outubro o exército muçulmano retrocedeu para a outra margem do Jordão. Os francos haviam sobrevivido à tempestade.

Durante a campanha, Guy seguiu os princípios consagrados da estratégia defensiva "cruzada" ao pé da letra, mantendo a disciplina da tropa, procurando limitar a mobilidade do inimigo por meio de ameaça de avanço, embora sempre evitando o risco do confronto. Contudo, a despeito dessa cautelosa forma de agir, ele foi duramente criticado por seus rivais da corte por permitir que Saladino atacasse o reino sem impedimento, e repreendido por exibir uma timidez indigna da cultura cavaleiresca. A verdade é que, por mais segura que parecesse em termos táticos, a inação cautelosa era raramente popular entre os soldados latinos. Até os soberanos experimentados e os comandantes veteranos de guerra acabavam por dar ordens que aparentemente pareciam humilhantes e covardes – em 1115 Rogério de Salerno ameaçou cegar seus homens para mantê-los em linha, e, anos depois, Ricardo Coração de Leão experimentou dificuldades similares no controle das tropas. Guy era um general inexperiente, recém-nomeado regente, cujo direito ao trono estava aberto à dúvida. O que mais lhe seria conveniente naquele outono de 1183 era uma firme demonstração de postura marcial, talvez até mesmo uma audaciosa vitória militar, para convencer os que duvidavam dele e silenciar seus críticos. No mínimo, tinha que demonstrar que possuía a força de vontade para dominar a aristocracia independente de Jerusalém. Na verdade, ao fazer o que era correto para a defesa do reino, Guy prestou a si mesmo um grave desserviço. Não é de surpreender que seus inimigos políticos se valessem dessa oportunidade para manchar sua reputação.[57]

Depois de uma breve pausa, no final de outubro de 1183 Saladino deslocou-se para o sul da Transjordânia para tomar Kerak. Este foi um ataque mais determinado, pois se equipou com as pesadas armas de assédio, incluindo algumas máquinas para atacar o castelo, mas também foi uma conveniente oportunidade de encontrar seu irmão al-Adil, que tinha viajado do Egito para assumir o governo do recém-conquistado território aiúbida ao norte da Síria. A investida do sultão contra Kerak também coincidiu, talvez de maneira deliberada, com a celebração de um alardeado casamento franco entre Hunfredo IV, de Toron, e a meia-irmã do rei, Isabel, presidido por Reinaldo de Châtillon, sua esposa Estefânia de Milly e a mãe de Isabel, Maria Comnena. Saladino pôde ter ficado à espreita de capturar um grupo muito importante de nobres cristãos, pois seu resgate seria uma verdadeira dádiva.[b] Posteriormente circulou uma história de que, mesmo em meio ao cerco, a dama Estefânia gentilmente enviou comida do banquete nupcial para o sultão que, em retribuição, prometeu não atacar a parte da fortaleza

---

b   É claro que, dada a enraizada inimizade já existente entre Saladino e Reinaldo de Châtillon, e à luz do posterior tratamento dispensado a ele pelo sultão, é provável que, no caso do senhor de Kerak, o sultão não deve ter tido nenhuma intenção de obter um resgate por Reinaldo.

ocupada pelos recém-casados. Se há algo de verdade nessa história (que não é mencionada pelas fontes muçulmanas), então a aparente galanteria de Saladino poderia ser, em parte, motivada pelo desejo de preservar as vidas de tão valiosos reféns.

As notícias do cerco de Kerak chegaram à corte latina de Jerusalém no momento em que os francos já estavam envolvidos nas disputas pela sucessão. Contrariando as expectativas, a febre do rei leproso baixou e um mínimo de forças voltou ao corpo enfraquecido de Balduíno. Em sequência aos eventos ocorridos em Ayn Jalut, ele e Guy de Lusignan brigaram ruidosamente pelos direitos sobre o reino e, talvez com sua mente envenenada pela opinião de Raimundo III e dos irmãos Ibelin, o jovem monarca virou-se contra Guy, rescindindo sua regência. Enquanto Kerak ainda estava sob cerco, Balduíno convocou um conselho para discutir a escolha de um novo herdeiro e, no final, a escolha recaiu sobre o filho de Sibila com seu primeiro marido – o sobrinho homônimo do rei: Balduíno (V). Em 20 de novembro de 1183, este menino de cinco anos de idade tornou-se o herdeiro designado, coroado e ungido como cogovernante do Santo Sepulcro. Até Guilherme de Tiro teve que admitir que "as opiniões dos sábios sobre esta grande mudança foram muitas e variadas... pois os dois reis eram limitados, um pela doença e o outro pela tenra idade, e tudo foi completamente inútil". O arcebispo, contudo, expressou sua própria opinião, ainda que velada, concluindo que esse arranjo tinha, pelo menos, suprimido toda esperança que Guy, o "inteiramente incompetente", ainda tivesse de ascender ao trono um dia.[58]

Com esse novo acordo selado, Balduíno IV partiu para a Transjordânia, na esperança de libertar Kerak. Devido à continuada fragilidade do rei, ele teve que ser transportado numa liteira, e Raimundo de Trípoli foi escolhido como comandante do exército franco. Apesar da postergada reação dos latinos, Saladino não foi capaz de vencer o amplo fosso seco de Kerak e, com o exército cristão se aproximando, o sultão abandonou o cerco em 4 de dezembro de 1183. No geral, seu ataque tinha se mostrado tímido, e ele certamente não estava disposto a enfrentar os francos em campo aberto. O rei leproso pôde então entrar na fortaleza abandonada à guisa de salvador vitorioso.

Naquele inverno, um desentendimento declarado irrompeu entre Balduíno IV e Guy de Lusignan, e durante toda a primeira metade de 1184 o reino latino foi um estado enfraquecido pela desunião. Saladino, contudo, concentrou-se na luta diplomática por Mossul e nada fez que assustasse os francos até o final do verão. Em 22 de agosto, ele deu início a outro cerco a Kerak, mas depois de o rei leproso ter reunido o que lhe restava de forças para reunir uma armada de resgate, o sultão bateu novamente em retirada, estabelecendo um acampamento bem defendido alguns quilômetros ao norte. Como os latinos não fizeram nenhum esforço por atacar, ele prosseguiu. Depois de uma campanha de curta duração no vale do Jordão e um breve ataque a Nablus, Saladino retirou-se para Damasco.

Ao longo de suas duas expedições contra o reino de Jerusalém em 1183 e 1184, Saladino observou uma estratégia de cautelosa agressão, continuando a pressionar e testar os franceses, assumindo mínimos riscos e evitando a batalha quando o inimigo se recusava a lutar segundo seus termos e no local de sua escolha. Esses encontros têm sido amiúde apresentados como etapas criteriosas e gradativamente escaladas do caminho da invasão máxima, mas também poderiam ser interpretados como alfinetadas de uma luta que era, até então, apenas de importância secundária para o sultão. É admirável que, por todo o início dos anos 1180, as ofensivas *jihadistas* de Saladino contra os latinos tenham se concentrado quase exclusivamente em duas regiões específicas que eram de significância estratégica, política e econômica para o reino aiúbida: a Transjordânia, a crucial rota terrestre que ligava o Egito e Damasco e que também era usada tanto pelas caravanas comerciais como para o tráfego de peregrinos rumo à Arábia; e a Galileia, a região controlada pelos latinos e que representava a maior ameaça para Damasco.

A verdade é que, nesse período, Saladino não demonstrou determinação alguma de realizar uma invasão decisiva da Palestina e não fez nenhuma tentativa obstinada de confrontar os franceses em batalha. Em termos reais, o domínio latino de Jerusalém permanecia incontestado. O sultão lançou uma guerra contra o Ultramar, mas seus esforços parecem, pelo menos em parte, terem sido provocados pela necessidade de substanciar publicamente sua declarada dedicação à *jihad* – por vezes, seus ataques quase parecem gestos simbólicos. Valendo-nos da visão em retrospectiva, fica evidente que, devido à extrema vulnerabilidade dos francos, uma séria ofensiva aiúbida contra o reino de Jerusalém poderia ter levado Saladino a uma vitória absoluta, particularmente em 1183-4. Em defesa do sultão, contudo, é muito incerto que ele realmente conhecesse a verdadeira e impeditiva extensão da dissensão e fraqueza a que os cristãos tinham sido levados.

Também é importante reconhecer que, embora as crônicas e biografias árabes e latinas relacionadas aos eventos políticos e militares passem uma sensação de crescente tensão entre o Ultramar cristão e o Islã aiúbida na década de 1180, outras fontes oferecem uma perspectiva diferente. O peregrino e viajante ibérico muçulmano Ibn Jubayr passou pela Terra Santa nesse preciso período, juntando-se a uma caravana comercial muçulmana de Damasco a Acre no outono de 1184, e testemunhou certo grau de contatos e coexistência interculturais que achou extraordinários:

> Uma das coisas surpreendentes de que se fala é que, apesar de o fogo da discórdia arder entre as duas partes, muçulmanos e cristãos, seus dois exércitos podendo encontrar-se e se dispor em ordem de batalha, os viajantes muçulmanos e cristãos, então, passam de um lado para o outro sem interferência. Nesse sentido, vimos Saladino (partir) com todas as tropas muçulmanas para assediar a fortaleza de Kerak, um dos maiores castelos dos cristãos, situado na estrada (para Meca e Medina) e dificultando a passagem por terra dos muçulmanos...
>
> Este sultão investiu contra essa fortaleza e a colocou em apuros, com um longo e prolongado cerco, mas mesmo assim as caravanas passavam sucessivamente do Egito para Damasco, através das terras dos francos sem qualquer impedimento. Da mesma forma, os muçulmanos continuamente viajavam de Damasco para Acre (através de território franco), e os mercadores cristãos tampouco eram detidos ou incomodados (em território muçulmano).

Essa evidência fascinante e reveladora sugere que uma pulsante corrente comercial prosseguia intensa durante todos esses anos, ligando os mundos cristão e muçulmano. O testemunho de Ibn Jubayr parece desmentir qualquer noção de que essas duas potências rivais estivessem em oposição num conflito veemente e implacável. Se sua visão do mundo levantino era representativa – e devemos lembrar que Ibn Jubayr era um forasteiro que passou apenas alguns meses na região –, então o aparente insucesso de Saladino de priorizar urgentemente a *jihad* talvez fique mais compreensível.[59]

Qualquer que fosse a profundidade da inimizade entre o Islã e os francos, no ano que se seguiu a crise de liderança no reino de Jerusalém se aprofundou. No outono de 1184, a condição de Balduíno IV tornou a se deteriorar e, por fim, ficou claro que ele estava morrendo. Apesar de sua continuada apreensão quanto à lealdade de Raimundo de Trípoli, Balduíno nomeou o conde como regente – sendo que a única alternativa realista para o posto era Reinaldo de Châtillon, que estava atentamente engajado na defesa da Transjordânia. Em meados de maio de 1185, Balduíno IV morreu com apenas 23 anos e foi sepultado, ao lado de seu pai Amalrico, no Santo Sepulcro. Durante a maior parte de seu conturbado reinado, Balduíno lutou com uma situação de pesadelo – cônscio de que era incapaz de um governo efetivo, tampouco de assegurar uma substituição aceitável ou orquestrar uma transferência bem-sucedida de poder, mesmo com o aumento da ameaça de uma invasão muçulmana. O tempo todo ele exibiu uma coragem física para enfrentar sua incapacidade. Mesmo assim, não conseguiu conter ou controlar as ambições de seus súditos mais poderosos e cometeu vários erros de julgamento, principalmente em sua decisão de recuar no apoio de Guy de Lusignan no final de 1183. Ele deve ser lembrado como uma figura trágica – alguém que lutou por defender a Terra Santa, embora governando durante uma década de perigoso declínio.

TRANSFORMAÇÃO

Em 1185, Saladino mais uma vez voltou sua atenção para a sujeição da Mesopotâmia muçulmana. Repetidas tentativas de conseguir um acordo negociado com Mossul no início de 1184 haviam fracassado, embora o sultão continuasse a exercer sua influência sobre a região, ganhando o apoio dos assentamentos iraquianos vizinhos por meio de um misto de intimidação, persuasão e suborno declarado. Em 1185, contudo, ficou claro que uma segunda expedição para além do Eufrates seria necessária se a autoridade aiúbida tivesse que realmente ser imposta, com Mossul curvado à sua vontade. Com a Síria e o Egito garantidos por uma margem de proteção graças a um acordo de trégua de um ano com Raimundo de Trípoli naquela primavera, Saladino partiu de Alepo para o leste com um grande exército e na companhia de Isa e al-Mashtub, aos quais mais tarde juntou-se Keukburi.

Ainda preocupado com garantir sua imagem como defensor e unificador dos muçulmanos, Saladino despachou enviados a Bagdá para justificar sua campanha, apelando para toda uma série familiar de alegações. A princípio, pareceu que Izz al-Din, de Mossul, estava disposto a negociar um acordo, mas suas tentativas diplomáticas mostraram-se incoerentes e provavelmente só objetivavam abrandar o ímpeto militar aiúbida. Pouco depois, o sultão empreendeu um segundo cerco a Mossul em meio ao verão escaldante. Esta se mostrou uma empreitada em grande parte sem incidentes – na verdade, o progresso foi tão lento que Saladino até pensou em um plano extremamente ambicioso de dobrar os habitantes de Mossul desviando o poderoso rio Tigre para longe da cidade, assim cortando seu suprimento de água. Em agosto, ele se deslocou para o norte para obter conquistas mais fáceis na região de Diar Baquir, no curso superior do Tigre, e no outono a maioria dos potentados muçulmanos da Mesopotâmia tinha sido incorporada à sua causa ou forçada à submissão. Como sempre, Izz al-Din mostrou-se indômito, mas sua resistência parecia estar refluindo.

Encarando a mortalidade

Foi neste ponto, em 3 de dezembro de 1185, que o sultão caiu doente com uma febre e se retirou para Harã. À medida que as semanas se transformavam em meses, sua força se esvaía, e a preocupação dos que o cercavam aumentava. Durante todo esse período, Imad al-Din, que havia ido para leste com Saladino, trocou uma torrente de cartas ansiosas com al-Fadil, que estava em Damasco. Suas palavras expressavam a profunda preocupação, medo e confusão que agora atormentavam o mundo aiúbida. Por duas vezes, pareceu que a saúde do sultão voltava, e que o perigo havia passado – a certa altura, al-Fadil até comunicou alegremente que havia recebido uma nota escrita pela mão de Saladino –, mas nas duas ocasiões o sultão teve uma recaída. Os médicos da corte, recém-chegados da Síria, ficaram discutindo os possíveis tratamentos, enquanto a mente de Saladino alternava períodos de lucidez e ausência, e seu corpo definhava. Em sua cabeceira o tempo todo, Imad al-Din escreveu que "enquanto a dor (do sultão) aumentava, também crescia sua esperança de auxílio divino", observando com tristeza que "a propagação de más notícias... não podia ser evitada, especialmente quando os médicos (saíram) e disseram que não havia mais esperança... então, as pessoas eram vistas despachando seus tesouros". No início de 1186, al-Fadil escreveu que em Damasco "os corações (estão) palpitando e as línguas (estão) cheias de boatos", implorando que o sultão fosse levado das fronteiras de suas terras para a segurança da Síria.

Em janeiro, Saladino ditou seu testamento e, em meados de fevereiro, al-Adil chegou de Alepo para oferecer seu apoio, mas também para estar preparado para assumir as rédeas do poder se fosse necessário. Nesse ínterim, outro aiúbida escapuliu de Alepo para fomentar a rebelião. Nasir al-Din, filho de Shirkuh, parecia ter desenvolvido o câncer do ciúme com relação à ascensão do poder de seu primo Saladino no Egito, uma região que ele poderia ter reclamado como herdeiro de seu pai em 1169. Ter recebido Homs só produziu uma lealdade ressentida na década de 1170, mas com a morte aparentemente iminente do sultão, Nasir al-Din agora viu uma chance de ascender. Rapidamente reunindo tropas na Síria, engendrou planos furtivos para a captura de Damasco. Sua escolha do momento revelou-se desastrosa. Nos últimos dias de fevereiro, a condição do sultão sofreu uma reviravolta e ele começou a ter uma recuperação lenta, porém firme. Em 3 de março, Nasir al-Din estava morto. Oficialmente, ele havia sucumbido a uma doença que avançara "num piscar de olhos", mas se dizia à boca pequena que havia sido envenenado pelos agentes de Saladino em Damasco.

Saladino ficara cara a cara com sua própria mortalidade no início de 1186. Já se sugeriu muitas vezes que ele ressurgiu como homem mudado, tendo feito uma pausa para avaliar sua vida, sua fé e suas vitórias nas muitas guerras travadas contra os franceses e seus irmãos muçulmanos. Com certeza, alguns contemporâneos representaram esse momento como o de uma profunda transformação na carreira do sultão, depois da qual ele se dedicou à causa da *jihad* e à retomada de Jerusalém. No auge de sua doença, ele aparentemente jurou concentrar toda sua energia nessa finalidade, sem levar em conta o sacrifício humano e financeiro que seria necessário.

Imad al-Din escreveu que essa aflição havia sido divinamente ditada, "para despertar (Saladino) do sono do esquecimento", e observou que o sultão subsequentemente consultou os juristas e teólogos islâmicos a respeito de suas obrigações espirituais. Al-Fadil, que se opusera à campanha de Mossul, agora procurava convencer Saladino a renunciar à agressão contra os muçulmanos. Em termos práticos, a enfermidade de Saladino forçou-o a aceitar uma conciliação com Mossul em março de 1186. O governante zênguida Izz al-Din permaneceu no poder, mas reconhecia o sultão como suserano, incluindo seu nome na prece de sexta-feira e prometendo contribuir com tropas para a guerra santa.[60]

A carreira de Saladino até 1186

Para os modernos estudiosos – principalmente na clássica biografia política de Saladino escrita por Malcolm Lyons e David Jackson, publicada em 1982 –, o embate do sultão com a morte mostrou-se revelador em outro sentido, pois levantou a questão de como ele poderia ser visto pela história se seu destino tivesse sido outro, pondo fim à sua vida em Harã no início de 1186. A forte conclusão de Lyons e Jackson de que Saladino seria lembrado como "um soldado moderadamente bem-sucedido (e) um dinasta que usou o Islã para atender a seus próprios interesses" é esclarecedora, embora um pouco contundente. Até esse ponto, o sultão tinha feito apenas uma contribuição limitada à *jihad*, passando cerca de 33 meses lutando contra muçulmanos desde 1174 e apenas onze combatendo os francos. Ele foi um usurpador com um apetite óbvio de poder e uma notável facilidade para acumulá-lo – um autocrata agressivo que repetidamente apossou-se de território muçulmano sobre o qual não tinha verdadeiro direito e fez uso total da propaganda para justificar suas ações e manchar os nomes de seus oponentes. É claro que nem todos os historiadores aceitam essa visão de Saladino. Alguns ainda persistem na sugestão de que ele foi obcecado com a guerra santa contra os francos ao longo de toda sua carreira – sempre avançando em direção a um ataque em grande escala contra o reino de Jerusalém e sempre buscando trazer seus inimigos cristãos para a batalha –, mas, na média, a evidência contemporânea sugere que esses estão equivocados.[61]

Não é de surpreender que os objetivos de Saladino até 1186 continuem a ser debatidos, pois até seus contemporâneos fizeram isso. Alguns louvaram o sultão. Escrevendo um pouco antes de sua morte (provavelmente em 1185), Guilherme de Tiro acreditava que o governante aiúbida representou uma grave e imediata ameaça para a sobrevivência continuada do Ultramar, mas, não obstante, louvou-o como "um homem sábio em seus conselhos, valente em batalha e generoso além da medida".[62] Contudo, outros oponentes e apoiadores – do cronista iraquiano pró-zênguida Ibn al-Athir a al-Fadil, secretário pessoal do sultão – sabiam muito bem que faltava a Saladino uma sincera devoção à *jihad*, o que o deixou perigosamente exposto às acusações de tirar proveito da construção do império. Se o sultão tivesse morrido no início de 1186, a questão de suas intenções teria permanecido sem resposta. Mas ele continuou vivo, com o apelo da guerra santa soando em seus ouvidos.

12. O GUERREIRO SANTO

Na primavera de 1186, tendo passado a pior fase de sua doença, Saladino – agora com cerca de 48 anos de idade – voltou a Damasco. Boa parte do restante do ano foi dedicada à sua prolongada convalescença, com recreações mais calmas, como debates teológicos, falcoaria e caça, enquanto sua vitalidade física lentamente se refazia. Naquele verão, uma grande preocupação foi provocada pela previsão da aproximação do apocalipse. Durante décadas, os astrólogos haviam previsto que, no dia 16 de setembro de 1186, um significativo alinhamento planetário provocaria uma devastadora tempestade de ventos, varrendo a vida da Terra. Esta lúgubre profecia circulava igualmente entre muçulmanos e cristãos, mas o sultão a achava ridícula. Ele a desafiou dando uma festa ao ar livre na suposta noite do desastre, enquanto "os simplórios escondiam-se em cavernas e abrigos subterrâneos". Desnecessário dizer, a noite passou sem que nada acontecesse; na verdade, um dos companheiros do sultão observou sarcástico que "nunca vimos uma noite tão calma como aquela".

Com sua saúde melhorando gradativamente, Saladino procurou reorganizar o equilíbrio e a distribuição do poder no que ele agora podia chamar de seu Império Aiúbida. Uma das prioridades foi designar seu filho mais valho, al-Afdal, como seu principal herdeiro. O jovem príncipe, então com cerca de dezesseis anos, foi levado do norte do Egito para a Síria. Entrando em Damasco em meio a celebrações dignas de um sultão, al-Afdal tornou-se o senhor nominal da cidade, embora, nos anos que se seguiram, Saladino amiúde o mantivesse a seu lado, instruindo-o nas artes da liderança, da política e da guerra. Dois dos filhos mais jovens de Saladino foram similarmente gratificados. Uthman, com catorze anos, foi nomeado governante do Egito, e o irmão em que o sultão depositava total confiança, al-Adil, retornou de Alepo para a região do Nilo para ser o guardião e orientador do jovem sobrinho. Alepo, por sua vez, passou para al-Zahir, o filho de treze anos do sultão. O único problema provocado por essa grande redistribuição era o sobrinho de Saladino, Tagi al-Din. Como governador do Egito desde 1183, ele havia demonstrado preocupantes tendências a agir de modo independente. Com a ajuda de Qaragush (a quem Saladino havia nomeado supervisor da corte cairota em 1169), Tagi al-Din havia feito planos de uma campanha em direção ao oeste, ao longo da costa norte-africana, que teria privado o sultão de valiosas tropas. Também abundavam rumores de que, durante a doença do sultão, ele havia se preparado para declarar sua autonomia. No outono de 1186, Isa, o sempre diplomata, recebeu a delicada missão de persuadi-lo a abrir mão do poder no Egito e retornar à Síria. Chegando inesperadamente ao Cairo, Isa foi inicialmente saudado com prevaricação, mas então aparentemente aconselhou Tagi al--Din: "Vá para onde você quiser". Esta frase aparentemente neutra tinha um gelado substrato ameaçador, e o sobrinho de Saladino logo partiu para Damasco, onde foi bem-vindo de volta à congregação e recompensado com sua antiga soberania sobre Hama, além de mais terras na região recém-subjugada de Diar Baquir.[63]

A questão da continuada subserviência de Tagi al-Din refletia uma questão mais ampla. Para sustentar seu império florescente, Saladino dependia do suporte de sua família como um todo, mas o sultão também estava determinado a proteger o interesse de seus filhos, os perpetuadores diretos da linhagem dos aiúbidas. Saladino tinha que conseguir um delicado equilíbrio – precisava controlar o ímpeto e a ambição de parentes como Tagi al-Din, pois a energia deles era vital para dar prosseguimento à preservação e à expansão do reino; mas, ao mesmo tempo, sua independência tinha que ser refreada. No caso de Tagi al-Din, Saladino esperava garantir a lealdade do sobrinho oferecendo-lhe a perspectiva de um avanço continuado na Mesopotâmia Superior.

O ISLÃ UNIDO?

As tentativas de Saladino de moldar os destinos dinásticos do Império Aiúbida em 1186 eram, até certo ponto, uma função direta do poder e do território expandidos que ele havia acumulado. Desde que emergiu como força política e militar em 1169, ele havia comandado a subjugação do Oriente Próximo islâmico, estendendo sua autoridade sobre o Cairo, Damasco, Alepo e grandes trechos da Mesopotâmia. A abolição do califado fatímida havia posto um fim à paralisante divisão entre a Síria sunita e o Egito xiita, levando a uma nova era de acordo muçulmano panlevantino. Essas realizações, sem paralelo na história recente, ultrapassam até as de Nur al-Din. Aparentemente, Saladino tinha unido o Islã do Nilo ao Eufrates; as moedas por ele cunhadas, circulando por todo seu reino e muito além dele, agora traziam a inscrição "o sultão do Islã e dos muçulmanos", uma contundente proclamação de sua autoridade, quase hegemônica, que tudo abrangia. Esta imagem tem muitas vezes sido aceita pelos historiadores modernos – uma atitude tipificada pela recente afirmativa de um estudioso de que, depois de 1183, "o comando de toda a Síria e do Egito estava nas mãos (de Saladino)".[64]

Contudo, a noção de que ele agora presidia um mundo de completa e duradoura unidade muçulmana é profundamente enganadora. Seu "império", construído por meio de um misto de conquista direta e diplomacia coerciva, era, na verdade, meramente um amálgama quebradiço de governantes-clientes, cuja lealdade podia facilmente titubear. Mesmo no Cairo, em Damasco e Alepo – as chaves do reino –, o sultão dependia da continuada fidelidade e cooperação de sua família, uma virtude nem sempre garantida. Em outros locais, como em Mossul, na Ásia Menor e em Jazira, a supremacia aiúbida era bastante efêmera, dependendo de alianças frouxas e matizadas por uma antipatia mal disfarçada.

Em 1186 a magia funcionou. Mas isso só ocorreu porque Saladino tinha sobrevivido à sua enfermidade e ainda possuía saúde, força e influência para manifestar sua vontade. Nos anos que se seguiram, a obra de sustentar e governar um império tão geograficamente extenso e politicamente incongruente pareceu testar o sultão até a exaustão. E a luta para contra-atacar as forças centrífugas arraigadas que poderiam rapidamente dissolver o Império Aiúbida provou-se constante e desgastante.

Mesmo depois de uns dezessete anos de luta incansável, a obra de Saladino ainda não estava completa. Em meio à guerra santa que estava por vir, ele podia convocar um exército dedicado, leal e destemido, mas quase o tempo todo o sultão estava à frente de uma coalizão frágil e amiúde inquieta, sempre consciente de que seu reinado poderia ser interrompido pela insurreição, rebelião ou cedência. Esse fato era de suprema importância, pois deu forma a boa parte de seu pensamento e de sua estratégia, forçando-o frequentemente a seguir o caminho da resistência mínima para buscar vitórias rápidas e autoperpetuadoras. Os historiadores contemporâneos e modernos têm por vezes criticado as qualidades de Saladino como comandante militar nesta fase tardia de sua carreira, argumentando que lhe faltava a ousadia para buscar custosos e prolongados assédios. De fato, ele dependia da velocidade da ação e do sucesso em andamento para manter o impulso, o que lhe ficava claro pelo conhecimento de que, se a máquina de guerra muçulmana ficasse estagnada, ela poderia muito bem entrar em colapso.

Num nível fundamental, o império de Saladino também havia sido forjado contra o pano de fundo da *jihad*; a cada etapa ele justificava a extensão da autoridade aiúbida como meio para atingir um fim. A unidade por trás de seu estandarte poderia ter sido comprada a um elevado preço, mas ele argumentava que era direcionada para um único propósito: a *jihad* para expulsar os francos da Palestina e libertar a Cidade Santa. Esse impulso ideológico havia comprovado ser um instrumento enormemente poderoso, inflamando e legitimando o motor da expansão, mas só ocorreu a um custo quase inevitável. A menos que Saladino desejasse ser revelado como déspota fraudulento, suas promessas de inflexível devoção à causa agora deviam ser cumpridas, e a guerra tão aguardada, por fim, travada. Com certeza, no período que se seguiu à sua doença, e que pode ter sido de espiritualidade aprofundada, a promulgação da *jihad* pelo sultão tornou-se mais ativa. Respeitados estudiosos islâmicos como os irmãos Ib Qudama e Abd al-Ghani, ambos proponentes da causa de Saladino desde muito tempo, estavam entre os que contribuíram para acelerar o fanatismo religioso. Em Damasco, e por todo o reino, panfletos religiosos e poemas sobre a fé, a obrigação da *jihad* e o significado preponderantemente devocional de Jerusalém eram todos recitados em enormes reuniões públicas com crescente regularidade. No final de 1186, parece que o sultão não só tinha reconhecido a necessidade política de um assalto total contra os latinos, mas também abraçado em nível pessoal a luta que se aproximava. Isso é comprovado pelo testemunho de um dos poucos críticos entre os comentadores muçulmanos contemporâneos, o historiador de Mossul Ibn-al-Athir. Registrando um conselho de guerra do início de 1187, o cronista escreveu:

> Um dos emires (de Saladino) disse a ele: "O melhor plano, em minha opinião, é invadir o território deles (e) se alguma força franca se opuser a nós, devemos enfrentá-la. Os do Ocidente nos amaldiçoam e dizem: "Ele desistiu de combater os infiéis e voltou sua atenção para combater muçulmanos". (Deveríamos) assumir uma ação que nos vingasse e calasse a boca das pessoas.

A intenção de Ibn al-Athir era censurar o expansionismo aiúbida enquanto evocava a maré da pressão e a expectativa pública que acompanhava o sultão. Mas ele prosseguiu sugerindo que Saladino experimentou um breve, embora significativo, momento de autorrealização em meio a essa reunião. De acordo com Ibn al-Athir, o sultão declarou sua determinação de ir à guerra e então observou lamentoso que "as coisas não acontecem pela decisão do homem (e) não sabemos o quanto resta de nossas vidas". Talvez fosse o próprio senso de mortalidade do sultão que o tenha levado à ação; qualquer que tenha sido o motivo, a mudança parece ter ocorrido. As verdadeiras questões ainda dizem respeito à verdadeira extensão de sua determinação de combater os francos nos longos anos entre 1169 e 1186, mas apesar do que havia feito antes, em 1187 Saladino reuniu toda a força de seu império para enfrentar o reino de Jerusalém. Agora ele estava totalmente decidido a levar os cristãos a uma batalha total e decisiva.[65]

UM REINO DESFEITO

Esse aumento da agressão aiúbida coincidiu com uma crise profunda na Palestina latina. Em algum momento em meados de setembro de 1186, o jovem rei Balduíno V, de Jerusalém, veio a falecer, e irrompeu uma acirrada disputa pela sucessão. O conde Raimundo de

Trípoli, que vinha agindo como regente, montou um esquema para tomar o trono, mas foi suplantado por Sibila (a irmã de Balduíno IV) e seu marido, Guy de Lusignan. Tendo conseguido o apoio do patriarca Heráclio, de grande parte da nobreza e das Ordens Militares, Sibila e Guy conseguiram ser coroados e ungidos como rainha e rei. Raimundo tentou engendrar uma guerra civil, proclamando Hunfredo de Toron e sua esposa Isabel como os monarcas de direito de Jerusalém. Mas, talvez ciente do terrível estrago que poderia produzir com essa proclamação, voltou atrás.

Como rei, um dos primeiros passos de Guy foi ganhar tempo para restaurar certo senso de ordem no reino renovando o tratado com Saladino até abril de 1187, em troca de cerca de 60 mil bezantes[c] de ouro. Guy era uma figura que provocava divisões – Balduíno de Ibelin ficou tão desgostoso com sua elevação que desistiu de sua suserania e se mudou para Antioquia – e, como rei, a política de Guy de colocar membros de sua família de Poitou em cargos de poder provocou ainda mais desconforto. Para lidar com seu poderosíssimo inimigo Raimundo de Trípoli, Guy parece ter engendrado um plano para se apoderar da suserania da Galileia à força. Mas, em resposta, Raimundo tomou a atitude drástica de procurar proteção com Saladino. Fontes muçulmanas indicam que muitos dos conselheiros do sultão mostraram-se desconfiados dessa aproximação, mas que Saladino acertadamente julgou ser uma honesta oferta de aliança, produto da desesperada aflição que agora atingia os franceses. Para o horror declarado de muitos de seus contemporâneos latinos, Raimundo saudou a entrada de tropas muçulmanas em Tiberíades para reforçar a guarnição da cidade, e deu permissão às forças aiúbidas para cruzarem as terras galileias sem qualquer perturbação. Nesse pior momento, o conde perpetrou um ato de traição, engendrando uma desunião ainda maior entre os cristãos.

Então, nos meses de inverno de 1186 e 1187, Reinaldo de Châtillon, senhor de Kerak, rompeu a trégua com os aiúbidas atacando uma

---

c   Durante a Idade Média, o termo *bezante* (do francês antigo *besant*, do latim *bizantius aureus*) era usado na Europa Ocidental para descrever diversas moedas de ouro provenientes do Oriente. O termo latino, por sua vez, provém do grego *Bizantion*, antigo nome da capital do Império Bizantino. (N.T.)

caravana muçulmana que atravessava a Transjordânia em seu caminho do Cairo para Damasco. Seus motivos ainda estão abertos ao debate, mas a ambição básica provavelmente se combinou com o reconhecimento de que Saladino estava tramando uma grande ofensiva para obrigar Reinaldo a entrar em ação. Com certeza, nas semanas que se seguiram, ele não fez nenhum esforço para reparar as relações, recusando sem rodeios as exigências do sultão de que devolvesse as mercadorias roubadas. Mesmo sem o ataque de Reinaldo, Saladino quase com certeza se recusaria, naquela primavera, a renovar a trégua com a Palestina francesa, de modo que a outrora alegação popular de que o senhor de Kerak efetivamente desencadeou a guerra provavelmente deveria ser descartada. Não obstante, as proezas de Reinaldo reforçaram seu status como inimigo odiado do mundo muçulmano. Elas também deram a Saladino uma causa clara para que a guerra inflamasse ainda mais o coração do Islã.

PARA OS CHIFRES DE HATTIN

Na primavera de 1187, Saladino começou a reunir suas forças para uma invasão da Palestina. Trazendo tropas do Egito, da Síria, da Jazira e de Diar Baquir, ele formou um exército enorme, com cerca de 12 mil soldados profissionais de cavalaria em seu centro, apoiados por cerca de 30 mil voluntários. Uma testemunha ocular muçulmana comparou-os a uma alcateia de "velhos lobos (e) leões dilacerantes", enquanto o próprio sultão descrevia como uma nuvem de poeira se levantou quando esse formigueiro humano marchou, "escurecendo o olho do sol". Comandar essa força imensa já era um feito em si mesmo – um ponto de reunião foi escolhido na fértil região de Hauran, ao sul de Damasco, e, com soldados vindos de tão longe, a mobilização levou meses para se completar. A tarefa foi supervisionada pelo filho mais velho de Saladino, al-Afda, em sua maior função de comando até então.[66]

Durante os primeiros estágios da campanha de 1187, a estratégia muçulmana seguiu, em grande parte, o padrão estabelecido pelos ataques aiúbidas em anos anteriores. Em abril, o sultão marchou para a Transjordânia para se juntar às forças que avançavam do norte da

África, enquanto executava uma série de ataques punitivos a Kerak e Montreal, incluindo uma generalizada destruição de colheitas. Mas os franceses ofereceram pouca ou nenhuma reação a essa provocação. Nesse ínterim, em 1º de maio, al-Afdal participou de uma missão combinada de reconhecimento e ataque do outro lado do Jordão, testando as defesas de Tiberíades, enquanto Keukburi comandava uma força montada de ataque de cerca de sete mil cavaleiros para reconhecer o ponto de concentração preferido dos franceses em Séforis. Naquela noite eles foram avistados pelas sentinelas de Nazaré, e um pequeno grupo de templários e hospitalários, então passando pela Galileia e comandado pelos mestres de ambas as ordens, decidiu entrar em combate. Uma sangrenta escaramuça se seguiu junto às fontes de Cresson. Superados enormemente em número, cerca de 130 cavaleiros cristão e trezentos homens da infantaria foram mortos ou capturados. O mestre templário Geraldo de Ridefort foi um dos poucos que conseguiu escapar, mas seu colega hospitalário estava entre os mortos. Um primeiro golpe havia sido desfechado, elevando o moral dos muçulmanos e abalando os soldados cristãos. No que se seguiu a essa chocante derrota, com a esmagadora ameaça aiúbida agora impossível de ser ignorada, o rei Guy e Raimundo de Trípoli se reconciliaram a contragosto, e o conde interrompeu o contato com Saladino.

No final de maio, o próprio sultão marchou para Hauran e, com a chegada dos últimos contingentes de suas tropas, avançou para o posto avançado de Ashtara, por volta de um dia de marcha ao sul da Galileia. A ele então se juntou Tagi al-Din, que voltava do norte da Síria, onde uma série de implacáveis ataques havia forçado o príncipe franco Boemundo III a concordar com os termos de uma trégua que salvaguardou Alepo de ataques. Ao longo de junho, Saladino fez seus planos e preparações finais, organizando suas tropas cuidadosamente e supervisionando as formações de batalha, de modo que seu imenso exército pudesse funcionar com o máximo de disciplina e eficiência. Três contingentes principais foram formados, com os flancos direito e esquerdo sob o comando de Tagi al-Din e Keukburi, respectivamente, e uma força central sob seu comando pessoal. Por fim, numa sexta-feira, dia 27 de junho de 1187, os muçulmanos estavam prontos para a guerra. A travessia do Jordão foi feita bem ao sul do Mar da Galileia, e a invasão da Palestina começou.

Em resposta ao terrível espectro do ataque islâmico, Guy de Lusignan havia seguido o protocolo franco padrão, reunindo o exército cristão em Séforis. Dada a escala sem precedentes das forças de Saladino, o rei havia tomado a drástica decisão de emitir uma convocação geral às armas, reunindo praticamente até o último dos homens em condição de lutar na Palestina e usando dinheiro enviado pelo rei Henrique II da Inglaterra para a Terra Santa (em lugar de uma cruzada de verdade) para pagar os reforços necessários de mercenários. Um membro do séquito do sultão escreveu que os latinos "chegaram em números que desafiavam a contagem, numerosos como seixos, 50 mil ou até mais", mas, na realidade, Guy provavelmente reuniu em torno de 1.200 cavaleiros e entre 15 mil e 18 mil soldados de infantaria e turcópolos[d]. Este foi o maior exército já reunido sob a Verdadeira Cruz – o símbolo totêmico dos franceses, de valor marcial e devoção espiritual – mas foi, não obstante, enormemente ultrapassado em número pelas hordas muçulmanas. Ao reunir esse exército, o rei cristão também assumiu um risco considerável, deixando as fortalezas da Palestina guardadas por um número mínimo de soldados. Se esse conflito terminasse em uma retumbante derrota para os latinos, o reino de Jerusalém ficaria totalmente indefeso.[67]

O objetivo preponderante de Saladino era obter uma vitória decisiva, levando os franceses da segurança de Séforis para um combate em escala total no terreno que ele escolhesse. Mas toda sua experiência da guerra com Jerusalém sugeria que o inimigo não seria facilmente levado a um avanço imprudente. Nos últimos dias de junho, o sultão saiu do vale do Jordão para os planaltos da Galileia, acampando na pequena vila de Kafr Sabt – cerca de dez quilômetros a sudoeste de Tiberíades e dezesseis quilômetros a leste de Séforis, em meio a uma paisagem de amplas planícies e colinas onduladas, salpicadas por ocasionais florações rochosas. Ele começou a testar o inimigo, despachando pequenos grupos de ataque para o interior da região, enquanto reconhecia pessoalmente o acampamento de

---

[d] Tropas recrutadas localmente pelos estados cristãos do Mediterrâneo Oriental durante as cruzadas. Com frequência, eram filhos de pais de diferentes religiões. (N.T.).

Guy a distância. Depois de alguns dias, ficou claro que, como se esperava, uma reação latina só seria obtida por uma provocação mais ousada.

Em 2 de julho de 1187, Saladino preparou sua armadilha, comandando um ataque ao amanhecer à cidade de Tiberíades, fracamente defendida e onde a resistência cristã logo cederia. Só a cidadela resistiu, oferecendo um precário refúgio a Lady Eschiva, a esposa de Raimundo de Trípoli. Estas notícias logo chegaram a Séforis (na verdade, o sultão provavelmente permitiu que os mensageiros de Eschiva saíssem da cidade levando pedidos de socorro). Saladino esperava que a situação de Tiberíades forçasse Guy a agir. Quando a noite caiu, o sultão ficou aguardando que a isca atraísse seu peixe.

Alojados a 26 quilômetros de distância, os francos estavam imersos num debate. Numa reunião dos principais nobres do reino, presidida pelo rei Guy, o conde Raimundo parece ter aconselhado cuidado e paciência. Ele argumentou que o risco de confronto direto com um exército muçulmano tão formidável devia ser evitado, mesmo ao custo da queda de Tiberíades e de sua própria captura. Com o passar do tempo, o exército de Saladino se dividiria, como tantas outras forças islâmicas antes dele, obrigando o sultão a bater em retirada; então, a Galileia poderia ser recuperada, e o resgate de Eschiva acertado. Outros, incluindo Reinaldo de Châtillon e o mestre templário Geraldo de Ridefort, tinham uma opinião diferente. Aconselhando Guy a ignorar o conde traiçoeiro e não confiável, advertiram quanto à vergonha de ficar numa inação covarde e incitaram à imediata libertação de Tiberíades. De acordo com uma das versões dos fatos, o rei inicialmente preferiu ficar em Séforis, mas, durante a noite, foi persuadido por Geraldo a voltar atrás em sua resolução. Na verdade, o fator mais decisivo da proposta de estratégia latina provavelmente foi a experiência de Guy. Diante de uma escolha quase idêntica quatro anos antes, ele teve que se recusar a lutar com Saladino e, em consequência, enfrentou o desprezo e a degradação. Agora, em 1187, ele abraçou a combatividade ousada e, na manhã de 3 de julho, seu exército marchou para Séforis.

Assim que chegaram a Saladino as notícias do avanço franco, ele imediatamente subiu as colinas da Galileia, deixando um pequeno destacamento para garantir a posição obtida em Tiberíades. O inimigo avançava pelo leste em fileiras cerradas, quase certamente pela larga estrada romana que ia de Acre ao Mar da Galileia, com Raimundo de Trípoli à frente, os templários na retaguarda e a infantaria dando proteção à cavalaria. Uma testemunha ocular muçulmana descreveu como "ondas após ondas" dos cristãos começaram a surgir, observando que "o ar se encheu de poeira, a luz diminuiu (e) o deserto ficou atordoado" com o avanço deles. É difícil pressupor os objetivos precisos de Guy de Lusignan naquele dia, mas ele esperava, de maneira bastante otimista, chegar a Tiberíades ou, pelo menos, às margens do Mar da Galileia. O sultão estava determinado a impedir qualquer uma dessas eventualidades. Enviando soldados para provocar escaramuças com a coluna cristã, conservou o grosso das tropas no planalto aberto ao norte de Kafr Sabt, bloqueando a passagem dela.

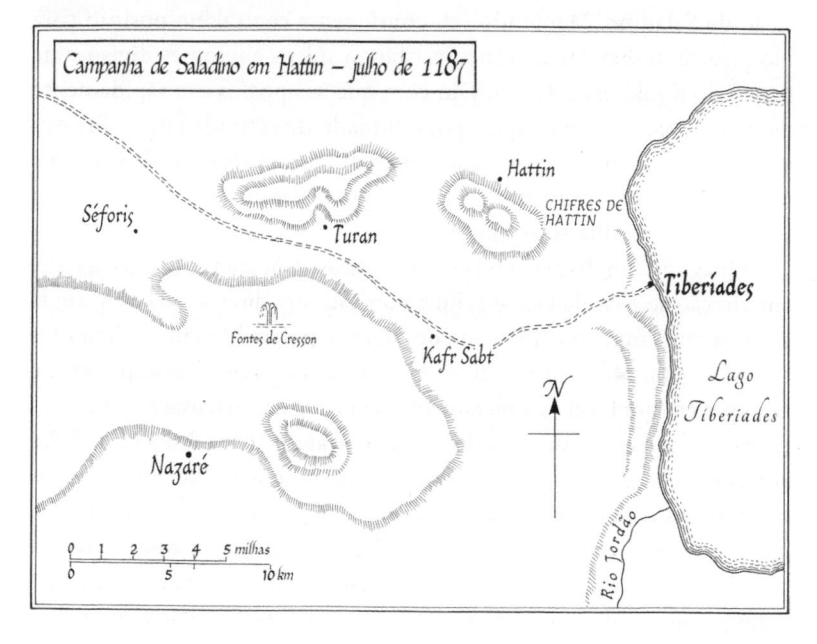

Campanha de Saladino em Hattin – julho de 1187

Saladino acertadamente percebeu que o acesso à água desempenharia um papel crucial no conflito. No auge do verão, soldados e cavalos cruzando um terreno tão árido poderiam fácil e perigosamente ficar desidratados.

Com isso em mente, ele ordenou que todos os poços da região imediata fossem preenchidos, enquanto se assegurava de que suas tropas seriam bem supridas pela fonte de Kafr Sabt e com água trazida por camelos do vale do Jordão. Sobrou apenas a grande fonte da vila de Hattin, na borda norte da escarpa, e os acessos a ela foram cuidadosamente vigiados. O sultão havia criado o que era, na prática, uma vasta zona de matança.[68]

Ao meio-dia do dia 3 de julho, os francos se detiveram para um breve descanso ao lado da vila de Turan, cuja pequena fonte temporariamente lhes aplacou a sede, mas não era adequada para as necessidades de muitos milhares de homens. Guy teve ter acreditado que ainda podia prosseguir para Tiberíades e, por ora, deu as costas para esse santuário insubstancial, prosseguindo com sua marcha rastejante em direção oeste. Mas ele havia subestimado o grande peso dos números à disposição de Saladino. Mantendo seu contingente central em posição para bloquear e desbaratar o avanço cristão, o sultão enviou as divisões de flanco de Keukburi e Tagi al-Din para que se apossassem rapidamente de Turan, barrando qualquer possibilidade de retirada latina. Prosseguindo em sua marcha, os franceses entraram na área do planalto que havia sido cuidadosamente preparada por Saladino para a batalha e a vitória. A armadilha estava pronta.

Quase no fim do dia, o rei cristão hesitou. Um ataque frontal, a leste, em direção ao Mar da Galileia, ou a nordeste, em direção a Hattin, ainda poderia ter alguma possibilidade de sucesso, possibilitando aos latinos o acesso à água. Mas, em vez disso, Guy tomou a decisão desesperada de acampar em um local completamente sem água e indefensável, numa atitude que equivalia a admitir a derrota que se aproximava. Naquela noite, a atmosfera dos dois exércitos não poderia ter sido mais diferente. Com os soldados muçulmanos "tão próximos que até poderiam falar com eles" e numa posição tão cerrada que nem "um gato (em fuga)... poderia ter escapado", os francos estavam em total escuridão, a cada hora mais enfraquecidos por uma sede terrível. Do outro lado, as tropas do sultão saturavam o ar com cantos de *Allahu akhbar* (Alá é grande) e sua coragem se fortalecia, "já farejando o triunfo", enquanto seu líder fazia os últimos preparativos para desferir seu golpe de misericórdia.

A batalha total não aconteceu com o amanhecer do dia 4 de julho. Em vez disso, Saladino permitiu que os cristãos fizessem um avanço dolorosamente lento, quase certamente rumo ao leste, ao longo da principal estrada romana. Ele aguardava pelo calor do dia que estava por começar, para que se iniciassem os efeitos devastadores da desidratação no inimigo. Então, para aumentar sua agonia, as tropas de Saladino começaram a incendiar o capim, levantando nuvens de fumaça sufocante entre as titubeantes fileiras latinas. O sultão posteriormente comentou que essa conflagração foi "um lembrete do que Deus havia preparado para eles no outro mundo"; com certeza, foi suficiente para que bolsões da infantaria e até de renomados cavaleiros se rendessem. Uma testemunha ocular muçulmana observou: "Os francos ansiavam por uma interrupção do combate, e seu exército, em desespero, buscou uma forma de escapar. Mas eram barrados por toda parte e atormentados pelo calor da guerra sem poderem ter um descanso".[69]

Até então, os soldados muçulmanos encarregados das escaramuças continuavam a atormentar o inimigo, mas a arma mais mortal de Saladino ainda não havia sido empregada. Na noite anterior, ele havia distribuído cerca de quatrocentos feixes de flechas entre seus arqueiros, e então, por volta do meio-dia, ordenou que se iniciasse um ataque total e devastador. Enquanto "os arcos zumbiam e suas cordas cantavam", as flechas voavam pelo ar "como uma nuvem de gafanhotos", matando homens e cavalos, "abrindo grandes lacunas nas fileiras (francas)". Com a infantaria em pânico e desfazendo sua formação, Raimundo de Trípoli lançou uma carga contra o contingente de Tagi al-Din a noroeste, mas as tropas muçulmanas simplesmente se dividiram para conter a força de seu avanço. Encontrando-se além da luta, Raimundo, Reinaldo de Sídon, Balian de Ibelin e um pequeno grupo de cavaleiros que os acompanhava acharam melhor voltar para a batalha e conseguir fugir. Um muçulmano contemporâneo escreveu:

> Quando o conde fugiu, (a coragem) dos latinos entrou em colapso, já estando prestes a se render. Então, compreenderam que só seriam salvos da morte se a encarassem com coragem, de modo que desferiram sucessivos ataques, o que quase afastou os muçulmanos de suas posições, apesar

> de seu número, se não fosse a graça de Deus. Contudo, os francos não voltaram a atacar e se retiraram sem sofrer baixas, mas ficaram gravemente enfraquecidos... Os muçulmanos os cercaram como um círculo em torno de seu ponto central.[70]

Em desespero, Guy fez uma última tentativa seguindo um caminho a noroeste que levava a um terreno mais alto, em que dois afloramentos rochosos – os Chifres de Hattin – se elevavam sobre uma sela e uma cratera em formato de tigela. Ali, dois mil anos antes, homens da Idade do Ferro haviam erguido um forte rudimentar, e suas antigas paredes em ruínas ainda podiam oferecer aos franceses certa proteção. Reunindo suas tropas desafiadoramente junto à Verdadeira Cruz, o rei montou sua real tenda vermelha e preparou aqueles cavaleiros remanescentes para um desesperado ataque final. A única esperança dos cristãos era atacar diretamente o coração do exército aiúbida – o próprio Saladino, pois, se o estandarte amarelo do sultão caísse, a maré da batalha poderia virar.

Anos depois, al-Afdal descreveu como ficou observando espantado, ao lado do pai, quando por duas vezes os francos atacaram pesadamente o sopé dos Chifres, incitando os cavalos em sua direção. Na primeira ocasião, eles mal foram contidos, e o príncipe se voltou e viu que seu pai "estava tomado pela tristeza... o rosto pálido". Outra testemunha ocular descreveu o pavoroso estrago infligido aos latinos quando retornavam aos Chifres, enquanto "as lanças flexíveis dos muçulmanos que os perseguiam dançavam (e) penetravam em suas entranhas" e suas "espadas arrebatavam suas vidas e os afugentavam para as encostas das colinas". Mesmo assim, como relembrou al-Afdal:

> Os francos se reagruparam e voltaram a atacar como antes, empurrando os muçulmanos de volta para meu pai (mas nós) os forçamos a bater em retirada para as colinas mais uma vez. Eu gritei: "Nós os derrotamos!", mas meu pai se voltou para mim e disse: "Fique quieto! Nós só os teremos derrotado depois que a tenda cair". Enquanto ele falava comigo, a tenda caiu. O sultão desmontou e se prostrou rendendo graças a Deus Todo-Poderoso e chorando de alegria.

Com a posição do rei suplantada, a Verdadeira Cruz foi capturada e os últimos resquícios da resistência cristã, esfacelados. Guy e todos os nobres do reino latino, com exceção dos poucos que haviam fugido, foram tomados prisioneiros, juntamente com milhares dos sobreviventes francos. Outros milhares haviam sido mortos.[71]

Quando o clamor da batalha silenciou, Saladino sentou-se na entrada de sua imponente tenda de campanha – boa parte da qual ainda estava sendo rapidamente erguida – para receber e inspecionar seus cativos mais importantes. A convenção sugeria que fossem tratados com honra e, com o tempo, talvez remidos, mas o sultão convocou dois deles em particular para uma audiência pessoal: seu adversário, o rei de Jerusalém; e seu inimigo convicto, Reinaldo de Châtillon. Com os dois sentados a seu lado, Saladino voltou-se para Guy, "que estava morrendo de sede e tremendo como bêbado", oferecendo-lhe uma taça de ouro cheia de julepo gelado. O rei deu um longo trago desse elixir revigorante, mas quando passou a taça para Reinaldo, o sultão interveio, afirmando calmamente por meio de seu intérprete: "Você não tem minha permissão para dar de beber a ele, de modo que o seu oferecimento não implica que ele esteja seguro como meu prisioneiro". Pois, segundo a tradição árabe, o ato de oferecer algo a um convidado equivalia a uma promessa de proteção. Segundo um contemporâneo muçulmano, Saladino então se voltou para Reinaldo, "lamentando seus pecados e... atos traiçoeiros". Quando o franco recusou com firmeza um convite a se converter ao Islã, o sultão "ergueu-se para encará-lo e lhe decepou a cabeça... Depois de ele ser morto e levado embora, (Guy) tremeu de medo, mas Saladino acalmou-o", assegurando-lhe que não teria destino similar, e o rei de Jerusalém foi levado dali como prisioneiro.[72]

Imad al-Din, o secretário pessoal do sultão, invocou toda sua capacidade de lembrar os fatos para descrever a cena que testemunhou quando naquela noite a escuridão caía sobre a Galileia. "O sultão", escreveu ele, "estava acampado na planície de Tiberíades como um leão no deserto ou a lua em seu total esplendor", enquanto "os mortos se espalhavam pelas montanhas e vales. Hattin dava de ombros às suas carcaças, e o perfume da vitória misturava-se ao fedor que subia deles". Abrindo caminho por um campo de batalha que "tinha se tornado um mar de sangue", com a poeira "tingida de vermelho", Imad al-Din testemunhou todo o horror da carnificina perpetrada naquele dia.

> Passei por eles e vi os membros nus dos mortos no campo de batalha, espalhados aos pedaços por todo o local do encontro, lacerados e desarticulados, as cabeças abertas, as gargantas cortadas, as espinhas quebradas, os pescoços dilacerados, os pés aos pedaços, os narizes mutilados, as extremidades arrancadas, os membros perdidos, as partes retalhadas.

Mesmo dois anos depois, quando um muçulmano iraquiano passou pela cena do combate, os ossos dos mortos, "alguns deles empilhados e outros espalhados por toda parte", podiam ser vistos de longe.

No dia 4 de julho de 1187, o exército da Palestina franca foi esmagado. A captura da Verdadeira Cruz representou um golpe fatal para o moral cristão por todo o Oriente Próximo. Imad al-Din proclamou que "a cruz foi um prêmio sem igual, pois era o objeto supremo da fé cristã", e ele acreditava que "sua captura foi para eles mais importante que a perda do rei e foi o golpe mais grave que suportaram naquela batalha". A relíquia foi fixada, de cabeça para baixo, numa lança e levada para Damasco.[73]

Tantos prisioneiros latinos foram feitos que os mercados da Síria ficaram inundados deles, e o preço de um escravo caiu para três dinares de ouro. Com exceção de Reinaldo de Châtillon, os únicos prisioneiros a serem executados foram os guerreiros das Ordens Militares. Esses mortíferos "tições" franceses eram tidos como perigosos demais para serem poupados e eram considerados completamente inúteis como reféns, pois normalmente se recusavam a tentar um resgate para sua libertação. Segundo Imad al-Din, "Saladino, com o rosto alegre, estava sentado em seu estrado" no dia 6 de julho, quando de cem a duzentos templários e hospitalários foram reunidos diante dele. Alguns aceitaram uma oferta final de conversão ao Islã; o restante foi atacado por um bando em farrapos de "estudiosos e sufis[e]... homens devotos e ascéticos", não acostumados com atos de violência. Imad al-Din ficou observando enquanto o massacre começava.

---

e   Praticantes do sufismo, uma corrente mística e contemplativa do Islã. Procuram desenvolver uma relação direta com Deus por meio de práticas espirituais prescritas por Maomé, como orações e

> Alguns golpeavam e cortavam com precisão, assim recebendo agradecimentos; alguns que se recusaram a participar do massacre foram dispensados; alguns se fizeram de tolos e outros tomaram seus lugares... Eu vi como (eles) matavam os descrentes para dar vida ao Islã e destruíam o politeísmo para estabelecer o monoteísmo.

A vitória de Saladino sobre as forças da cristandade latina tinha sido absoluta. Apenas seis dias depois ele escreveu uma carta revivendo sua façanha e afirmando que "o brilho da espada de Deus aterrorizou os politeístas" e "o domínio do Islã foi ampliado". "Foi", afirmou ele, "um dia de graça, em que o lobo e o abutre agiram juntos, enquanto a morte e a escravidão por sua vez se seguiam"; um momento em que "a aurora (irrompeu) na noite dos descrentes". Com o tempo, ele erigiu uma cúpula triunfal nos Chifres de Hattin, cujos contornos imprecisos e em ruínas podem ser vistos até hoje.[74]

A QUEDA DA CRUZ

Na sequência ao triunfo em Hattin, a porta permaneceu aberta para maiores sucessos muçulmanos. A enorme baixa de soldados cristãos em 4 de julho deixou o reino de Jerusalém num estado de extrema vulnerabilidade, pois suas cidades, vilas e fortalezas tinham sido todas desprovidas de suas guarnições. Não obstante, a imensa vantagem obtida para o Islã ainda poderia ter sido desperdiçada se Saladino não tivesse demonstrado tamanha concentração de determinação e se colocado numa posição que recorria a um profundo poço de recursos. Assim, durante todo aquele verão, a Palestina franca entrou em colapso quase sem dar um gemido.

Tiberíades capitulou quase imediatamente e, em menos de uma semana, Acre – o centro econômico do Ultramar – fez a mesma coisa. Nas semanas e meses que se seguiram, Saladino direcionou a maior parte de seus esforços para a varredura dos assentamentos e portos da costa palestina, e de norte a sul locais como Beirute, Sídon, Haifa, Cesareia e Arsuf caíram

---

jejuns. (N.T.)

quase um após o outro. Nesse ínterim, o irmão do sultão, al-Adil, que foi alertado imediatamente após Hattin, dirigiu-se do Egito para o norte para capturar o porto vital de Jafa, enquanto outras expedições obtinham êxito no interior. Ascalão ofereceu pouca resistência, mas em setembro até esse porto foi forçado à submissão, e a queda de Darun, Gaza, Ramla e Lida se seguiu. Até os templários acabaram por abrir mão da fortaleza de Latrun, no sopé das Montanhas da Judeia, no caminho para Jerusalém, em troca da libertação de seu mestre, Geraldo de Ridefort.

A velocidade mercurial e a amplitude desses sucessos foram devidas, em parte, ao peso do número de soldados e ao conjunto de confiáveis lugares-tenentes, como al-Adil e Keukburi, à disposição de Saladino. Isso permitiu a ação de grupos aiúbidas de guerreiros por todo o reino, aumentando significativamente a escalada e o ritmo das operações, o que levou um contemporâneo latino a observar que os muçulmanos se espalharam "como formigas, cobrindo toda a face do país". Na verdade, contudo, a forma assumida pelos eventos daquele verão foi em grande parte determinada pela estratégia de Saladino. Sabendo que a unidade islâmica só poderia ser preservada pelo entusiasmo da vitória, procurou disseminar a resistência aos cristãos adotando uma política de clemência e conciliação. Desde o começo, generosos termos de capitulação foram oferecidos aos franceses – por exemplo, até fontes latinas admitem que "aos habitantes de Acre" foi oferecida a oportunidade de permanecerem na cidade, vivendo sob o governo muçulmano "sãos e salvos, pagando o imposto costumeiro que é cobrado entre cristãos e sarracenos", enquanto os que desejavam ir embora "receberam o prazo de quarenta dias para partir com suas esposas, filhos e pertences".[75]

Termos similares parecem ter sido oferecidos a qualquer cidade ou fortaleza pela capitulação sem resistência e, de maneira decisiva, foram aceitos. Mantendo sua palavra, sem simplesmente saquear o Levante, Saladino rapidamente fez crescer sua fama de integridade e honra. Esta provou ser uma arma poderosa, pois, quando confrontada com a opção de uma resistência inútil ou de garantia de sobrevivência, a maioria das guarnições inimigas se rendia. Assim, o reino de Jerusalém foi conquistado com incrível rapidez e a um custo mínimo de recursos. Contudo, esse procedimento não deixou de conhecer seus fracassos. De julho de 1187 em diante, grandes porções da população latina transformaram-se em refugiados e, fiel a suas promessas, o sultão garantiu-lhes salvo-conduto para um porto, de onde, esperava-se, poderiam partir, talvez para a Síria ou para o Ocidente. Na verdade, centenas, e depois milhares, de francos buscaram santuário no que se tornou o único porto franco remanescente na Palestina – a cidade de Tiro, pesadamente fortificada.

Saladino agora se viu confrontado por uma escolha importante. Boa parte da costa e do interior havia sido subjugada, mas, à medida que o verão terminava, ficou claro que apenas mais um impulso final em direção à conquista seria possível antes que a chegada do inverno pusesse fim à temporada de lutas. Um objetivo básico precisava ser identificado. Em termos estritamente estratégicos, Tiro era a prioridade óbvia: fortalecendo-se a cada dia, um verdadeiro bastião da resistência latina, ela oferecia uma linha vital de comunicação marítima com os remanescentes do Ultramar ao norte e com o mundo cristão mais amplo além dele. Assim, sua continuada resistência oferecia ao inimigo um ponto de apoio ferrenho, a partir do qual, com o tempo, poderia ser lançada uma tentativa de reconstruir o reino cruzado destroçado. Não obstante, o sultão preferiu deixar Tiro intacta, passando duas vezes pelo porto em suas viagens para o norte e o sul. O cronista iraquiano Ibn al-Athir achou oportuno criticar tal decisão, argumentando que "Tiro permanece aberta e sem defesa contra os muçulmanos, e se Saladino a tivesse atacado (ainda neste verão), ele a teria tomado facilmente", e alguns historiadores modernos apoiaram essa ideia, sugerindo uma falta de previsão da parte do sultão. Previsões como esta dependem, em grande parte, de uma inata percepção retrospectiva. No início de setembro de 1187, Saladino reconheceu que um prolongado cerco a Tiro poderia levar toda sua campanha a um duro impasse, fazendo com que a coalizão islâmica comandada pelos aiúbidas se estilhaçasse. Em vez de assumir esse risco, o sultão deu prioridade a seu objetivo ideológico central, voltando-se para o interior para conduzir a força total de seu exército para o leste, em direção a Jerusalém.[76]

Para Jerusalém

Isolada em meio às colinas da Judeia, o valor da Cidade Santa como objetivo militar era limitado. Mas décadas de pregação e propaganda, engendradas por Nur al-Din e Saladino, haviam reafirmado o status de Jerusalém como o sítio mais sagrado do Islã fora da Arábia. A atração espiritual, quase mesmérica, pela cidade agora compelia os muçulmanos a avançar sobre ela. Para uma guerra reivindicada a partir da noção da *jihad*, ela era o objetivo máximo e inevitável. Tendo sabiamente levado a frota egípcia para o norte para defender Jafa de um contra-ataque cristão, e com os postos avançados latinos na defesa dos ataques orientais à Judeia rapidamente se inibindo, os exércitos de Saladino chegaram a Jerusalém em 20 de setembro de 1187. O sultão tinha vindo com dezenas de milhares de soldados e pesadas armas de assédio, pronto para um confronto prolongado, mas, apesar de repleta de refugiados, a cidade estava desesperadamente desprovida de guerreiros. Dentro dela, a rainha Sibila e o patriarca Heráclio ofereciam algum controle, mas o verdadeiro fardo da liderança recaiu sobre Balian de Ibelin. Depois de escapar do desastre de Hattin, Balian havia se refugiado em Tiro, mas Saladino depois lhe garantiu passagem segura para a Cidade Santa, de modo que Balian pôde levar sua esposa Maria Comnena e os filhos para a segurança. O acertado foi que Balian ficaria em Jerusalém apenas uma noite, mas, ao chegar, ele foi rapidamente persuadido a renegar esse acordo e ficar para organizar a resistência. Com apenas um punhado de cavaleiros à sua disposição, Balian apelou para o expediente de armar cavaleiro todo homem nobre de nascimento e acima de dezesseis anos, além de mais outros trinta, escolhidos entre os cidadãos mais ricos de Jerusalém. Também procurou incrementar as fortificações da cidade onde fosse possível. Apesar de seus esforços, a superioridade numérica dos muçulmanos era esmagadora.

Saladino começou sua ofensiva com um ataque à muralha ocidental, mas depois de cinco dias de luta inconclusiva pela Torre de Davi mudou seu foco para o setor norte, mais vulnerável, ao redor da Porta de Damasco – talvez repetindo insensatamente o exemplo dado pelos primeiros cruzados. Em 29 de setembro, diante da feroz, embora inútil, resistência, os sapadores muçulmanos conseguiram abrir uma grande brecha nas muralhas de Jerusalém. A Cidade Santa agora estava completamente sem defesa. No aguardo de um milagre, as mães francas rasparam as cabeças dos filhos como forma de expiação, e os clérigos realizaram procissões com pés descalços pelas ruas, mas, em termos práticos, nada podia ser feito; a conquista era inevitável.

As intenções de Saladino em setembro de 1187

A reação do sultão a essa situação e a maneira precisa de subjugar Jerusalém são de imenso significado, pois foram decisivas para a definição da reputação de Saladino pela história e pelo imaginário popular. Alguns fatos, atestados por fontes muçulmanas e cristãs, são irrefutáveis. As tropas aiúbidas não saquearam a Cidade Santa. Em vez disso, provavelmente em 30 de setembro, os termos da rendição latina foram acordados entre o sultão e Balian de Ibelin, e, sem mais derramamento de sangue, Saladino entrou em Jerusalém em 2 de outubro de 1187. Ao longo dos séculos, um grande peso foi atribuído a essa ocupação "pacífica", e duas noções interconectadas têm recebido generalizada aceitação. Esses eventos demonstram uma profunda diferença entre o Islã e a cristandade latina, pois a conquista da Primeira Cruzada de 1099 envolveu um massacre brutal, enquanto o momento de triunfo dos aiúbidas parece revelar uma capacidade de temperança e compaixão humana. Também tem sido amplamente sugerido que Saladino tinha plena consciência da comparação com a Primeira Cruzada, ciente do que uma rendição negociada poderia significar para a imagem do Islã, para as percepções contemporâneas de sua carreira e para a marca que ele deixaria na história.[77]

O problema dessas visões é que não são endossadas pelo testemunho contemporâneo mais importante. Duas evidências são vitais – o relato escrito por Imad al-Din, o secretário de Saladino, que chegou a Jerusalém em 3 de outubro de 1187; e uma carta de Saladino para o califa de Bagdá, datando de pouco depois da rendição de Jerusalém. A questão não é que este material deve ser levado em consideração apenas porque seus autores participaram dos eventos descritos, mas porque oferece uma visão de como o próprio sultão concebia e desejava apresentar o que acontecera na Cidade Santa naquele outono.

As duas fontes indicam que, no final de setembro de 1187, Saladino tencionava saquear Jerusalém. De acordo com Imad al-Din, o sultão disse a Balian em seu primeiro encontro: "Você não vai receber nem anistia nem misericórdia! Nosso único desejo é lhe infligir perpétua sujeição... Vamos matar e capturar o seu comércio, derramar o sangue dos homens e reduzir os pobres e as mulheres à escravidão". Isso é confirmado pela carta de Saladino, que observa que, em resposta aos primeiros pedidos de acordo dos francos, "nós os recusamos terminantemente, desejando apenas derramar o sangue dos homens e reduzir as mulheres e as crianças à escravidão". Nesse ponto, contudo, Balian ameaçou que, a menos que condições equitativas de rendição fossem acordadas, os latinos lutariam até o último homem, destruindo os lugares sagrados de Jerusalém e executando os milhares de prisioneiros muçulmanos que mantinham no interior da cidade. Foi um início de conversa desesperado, mas convenceu o sultão, que relutantemente concordou com um arranjo. As fontes de testemunhas oculares revelam uma consciência subjacente de que esse acordo poderia ser percebido como fraqueza dos aiúbidas. Em sua carta, Saladino justificou cuidadosamente sua decisão, enfatizando que seus emires o haviam convencido a aceitar um acordo para evitar mais perdas desnecessárias de vidas muçulmanas e garantir uma vitória já conquistada. Imad al-Din reiterou essa ideia, descrevendo com detalhes um "conselho", durante o qual o sultão buscou o aconselhamento de seus principais lugares-tenentes.[78]

Esta evidência oferece um vislumbre da mentalidade de Saladino em 1187. Ela sugere que sua principal intenção não era se apresentar como um vencedor justo e magnânimo. Ele tampouco estava preocupado em equiparar suas ações às dos primeiros cruzados ou, por meio de um grande gesto, revelar o Islã como uma força voltada para a paz. Na verdade, nem a carta do sultão nem o relato de Imad al-Din fazem qualquer referência explícita ao massacre de 1099. Em vez disso, Saladino na verdade sentiu a necessidade de explicar e justificar não ter massacrado os francos dentro de Jerusalém depois que foi aberta uma brecha nas defesas da cidade. Isso ocorreu, acima de tudo, porque ele temia um ataque à sua imagem como guerreiro dedicado à *jihad* – como governante que havia forçado o Islã a aceitar a dominação aiúbida com a promessa de guerra contra os francos.

Tal revelação pode causar uma reavaliação do caráter e das intenções de Saladino, mas não deve permitir que o pêndulo se incline para uma total posição oposta. O comportamento do sultão deve ser julgado em seu devido contexto histórico, com relação aos padrões contemporâneos. Por esse critério, a conduta de Saladino no outono de 1187 foi relativamente leniente.[79] Segundo os costumes bélicos medievais – que, falando de maneira geral, eram compartilhados e reconhecidos igualmente pelos muçulmanos do Levante e pelos cristãos francos –, os habitantes de uma cidade sitiada que se recusassem teimosamente a capitular até o momento em que suas fortificações sofressem brechas ou fossem suplantadas podiam esperar o pior dos tratamentos. De maneira típica, numa situação dessas, a oportunidade de os defensores negociarem já havia passado, e seus homens seriam mortos, com suas mulheres e crianças sendo escravizadas. Mesmo que o ataque final a Jerusalém tenha sido bastante influenciado pelas ameaças de Balian, pelas normas do dia os termos com que Saladino concordou foram generosos – e, o que é ainda mais importante, foram honrados.

O sultão também agiu com um notável grau de cortesia e clemência ao tratar com seus aristocratas "iguais" entre os francos. Balian de Ibelin foi perdoado por quebrar sua promessa de não ficar em Jerusalém, e uma escolta até foi providenciada para levar Maria Comnena a Tiro. A viúva de Reinaldo de Châtillon, Estefânia de Milly, foi igualmente libertada sem qualquer pedido de resgate. As condições da rendição estabelecidas por volta de 30 de setembro continham um certo número de prescrições básicas. A população cristã de Jerusalém teve quarenta dias para comprar sua liberdade ao custo de dez dinares para os homens, cinco para as mulheres e um para as crianças. Além disso, deveriam receber um salvo-conduto para os postos avançados latinos de Tiro ou Trípoli, com o direito de levar seus pertences pessoais. Só cavalos e armas deveriam ser deixados. Depois de quarenta dias, os que não pudessem pagar o resgate seriam feitos cativos. No geral, esse acordo foi seguido e, em alguns casos, Saladino demonstrou uma generosidade ainda maior. Balian, por exemplo, pôde, em troca de uma polpuda soma de 30 mil dinares, garantir a libertação de sete mil cristãos, e parece ter havido a tentativa de obter uma anistia geral para os pobres.

Uma vez em vigor, os termos da capitulação resultaram numa corrente quase constante de refugiados saindo de Jerusalém, enquanto grupos de francos desarmados eram escoltados até a costa. Na prática, o sistema de resgate acabou se revelando um pesadelo administrativo para os funcionários de Saladino. Imad al-Din admitiu que a corrupção, incluindo o suborno, tornou-se corriqueira e lamentou o fato de que apenas uma fração do dinheiro devido acabou indo parar no tesouro do sultão. Muitos latinos aparentemente conseguiram escapar ao controle: "Algumas pessoas desceram as muralhas por meio de cordas, algumas carregando bagagem escondida, outras trocaram as roupas e escaparam vestidas como soldados (muçulmanos)". A disposição do sultão de permitir que os francos partissem com seus pertences também limitou a quantidade dos saques. O patriarca Heráclio aparentemente deixou a cidade lotado de tesouros, mas "Saladino não opôs nenhuma dificuldade, e quando o aconselharam a sequestrar tudo para o Islã, ele respondeu que não voltaria atrás com sua palavra. Ele tomou apenas os dez dinares de (Heráclio) e o deixou partir para Tiro com uma forte escolta". No fim dos quarenta dias estipulados, afirma-se que um total de sete mil homens e oito mil mulheres não conseguiram pagar o resgate e foram levados como cativos e escravizados.[80]

Em última análise, não se pode dizer que Saladino tenha agido com uma clemência de santo naquele outono, mas tampouco se pode acusá-lo de impiedosa barbárie ou duplicidade. Na versão dos eventos que divulgou para o mundo muçulmano, o sultão se apresentava claramente como um *mujahid* disposto, e até ansioso, por passar os francos de Jerusalém pelo fio da espada, mas é impossível determinar se essa era sua verdadeira intenção. Como acabou acontecendo, uma vez confrontado com as ameaças de Balian, Saladino preferiu a negociação ao confronto e procurou demonstrar um considerável grau de contenção em suas negociações com os latinos.

A triunfante reconquista de Jerusalém marcou o apogeu da carreira de Saladino até aquele ponto. De maneira crucial, ele agora podia valer-se dessa realização histórica para legitimar sua unificação do Islã e refutar toda acusação de um despotismo que o favorecesse pessoalmente. Esses dois temas de incrível vitória e "inocência" declarada permeiam sua carta para o califa – eles também formam a espinha dorsal de outras setenta cartas escritas por Imad al-Din naquele outono, fazendo propaganda dos sucessos dos aiúbidas.[81]

Jerusalém retomada

O dia da rendição formal de Jerusalém foi escolhido com cuidado, de modo a enfatizar a imagem do sultão como comprovado campeão da fé. Séculos antes, dizem que o próprio Maomé fez sua Jornada Noturna até Jerusalém, de lá subindo para o céu no dia 2 de outubro. Estabelecendo claros paralelos entre sua vida e a do Profeta, Saladino escolheu essa mesma data em 1187 para marcar sua entrada triunfal. Uma vez dentro das muralhas da Cidade Santa, a obra transformadora de islamização começou imediata e apressadamente. Muitos santuários e igrejas cristãs foram despojados de seus tesouros e fechados; alguns foram transformados em mesquitas, *madrassas* (colégios de ensino) ou conventos religiosos. O destino do Santo Sepulcro foi intensamente debatido, com alguns advogando sua total destruição. As vozes mais moderadas prevaleceram, argumentando que os peregrinos cristãos continuariam a reverenciar o local mesmo que ele fosse completamente arrasado, e lembraram a Saladino que Umar, o primeiro conquistador muçulmano de Jerusalém, havia deixado a igreja intocada.

A dimensão espiritual do feito de Saladino foi manifestada de maneira clara no assíduo cuidado com que ele e seus homens "purificaram" os lugares santos de Jerusalém. Os dois principais desses sítios estavam no *Haram as-Sharif* (agora também conhecido como Monte do Templo) – o Domo da Rocha e a mesquita de Al-Aqsa. Aos olhos do Islã, os francos haviam reduzido essas duas construções sagradas à mais grave das profanações. Isso foi agora devidamente reparado. Sob o domínio latino, o Domo – construído pelos muçulmanos no final do século VII e tido como abrigo da rocha sobre a qual Abraão se preparou para sacrificar o filho e da qual Maomé ascendeu aos céus durante sua Viagem Noturna – fora transformado no *Templum Domini* (Igreja de Nosso Senhor), e sua resplandecente cúpula dourada, adornada com uma enorme cruz. Este símbolo foi destruído imediatamente, o altar cristão e todas as pinturas e estátuas do interior, removidos, e água de rosas e incenso purificaram toda a estrutura. Depois disso, uma testemunha ocular muçulmana orgulhosamente afirmou que "a Rocha foi purificada da sujeira dos infiéis com as lágrimas dos pios", emergindo num estado de pureza como "uma jovem noiva". Mais tarde, uma inscrição foi colocada sobre a cúpula, comemorando o feito do sultão: "Saladino purificou esta casa sagrada dos politeístas".

Um trabalho similar foi realizado na mesquita de Al-Aqsa, que os francos haviam usado primeiro como palácio real, tendo depois sido reformulada como parte do quartel dos templários. Uma parede cobrindo o *mihrab* (um nicho indicando a direção da oração) foi removida, e o edifício, todo reformado, de modo que, nas palavras de Imad al-Din, "a verdade triunfou, e o erro foi apagado". Aqui, a primeira oração de sexta-feira foi realizada em 9 de outubro, e a honra de proferir o sermão nesse dia foi avidamente disputada por oradores e homens santos. Saladino acabou por escolher Ibn al-Zaki, um imã de Damasco, para falar diante da multidão que se comprimia ansiosa. O sermão de Ibn al-Zaki parece ter destacado três temas interconectados. A noção de conquista como forma de purificação foi enfatizada, com Deus louvado pela limpeza "de Sua Casa Santa da sujeira do politeísmo e suas impurezas", e pediu-se à congregação que "purificasse o resto da terra dessa sujeira que enfurecera Deus e Seu Apóstolo". Ao mesmo tempo, o sultão foi prodigamente louvado, aclamado como "o campeão e protetor da terra sagrada (de Deus)", seus feitos comparados aos do próprio Maomé, e a eficaz natureza da *jihad* exortada com as palavras: "Mantenham a guerra santa; ela é o melhor meio que tendes de servir a Deus, a mais nobre ocupação de vossas vidas".[82]

O feito de Saladino

O verão de 1187 trouxe a Saladino duas retumbantes vitórias. Aproveitando-se do momento após a Batalha de Hattin, ele reconquistou Jerusalém, eclipsando os feitos de todos seus predecessores muçulmanos da época das cruzadas. Décadas antes, seu mestre Nur al-Din havia ordenado a construção de um púlpito esculpido e de extraordinária beleza, imaginando que ele um dia pudesse supervisionar sua instalação na sagrada Al-Aqsa. Agora, num ato final e revelador de apropriação, o sultão realizou o sonho do predecessor e assumiu seu legado, trazendo o púlpito de seu local de descanso em Alepo para a grande mesquita de Jerusalém, onde permaneceria por oito séculos.

De maneira reveladora, até o crítico muçulmano Ibn al-Athir, contemporâneo de Saladino, reconheceu a glória insuperável das realizações do sultão em 1187: "Este feito abençoado, a conquista de Jerusalém, é algo só conseguido por Saladino... desde o tempo de Umar". Al-Fadil, escrevendo ao califa de Bagdá, enfatizou a natureza transformadora da derrota imposta pelo sultão aos francos: "De seus locais de oração, ele derrubou a cruz e estabeleceu o chamado à oração... o povo do Alcorão sucedeu ao povo da cruz"[83] Oitenta e oito anos depois do surpreendente triunfo da Primeira Cruzada, Saladino havia reconquistado a Cidade Santa para o Islã, desferindo um golpe significativo contra o Ultramar. Ele havia reformulado o Oriente Próximo e agora parecia pronto para conseguir uma última e duradoura vitória na guerra pela Terra Santa. Mas à medida que as notícias desses extraordinários eventos reverberavam pelo mundo muçulmano e para além dele, provocando o choque e o espanto, a cristandade latina foi motivada à ação. Um desejo vingativo de guerra santa despertou no Ocidente e, mais uma vez, vastos exércitos partiram para o Levante. Logo Saladino seria forçado a defender suas conquistas obtidas com dificuldade contra a Terceira Cruzada, com um novo e feroz campeão da causa cristã: Ricardo Coração de Leão.

NOTAS

1. Ibn al-Qalanisi, p. 266; Hillenbrand, *The Crusades: Islamic Perspectives*, pp. 112-16; Hillenbrand, 'Abominable acts: the career of Zengi', pp. 111-32; C. Hillenbrand, '*Jihad* propaganda in Syria from the time of the First Crusade until the death of Zengi: the evidence of monumental inscriptions', *The FrankishWars and Their Influence on Palestine*, ed. K. Athamina and R. Heacock (Birzeit, 1994), pp. 60-69; H. Dajani-Shakeel, '*Jihad* in twelfth-century Arabic poetry', *MuslimWorld*, vol. 66 (1976), pp. 96-113; H. Dajani-Shakeel, '*Al-Quds*: Jerusalem in the consciousness of the counter-crusade', *The Meeting of TwoWorlds*, ed. V. P. Goss (Kalamazoo, 1986), pp. 201-21.

2. Ibn al-Athir, vol. 1, p. 382; Hillenbrand, 'Abominable acts: the career of Zengi', p. 120.

3. Ibn al-Qalanisi, pp. 271-2; Ibn al-Athir, vol. 2, p. 222; Guilherme de Tiro, p. 956. Sobre a carreira de Nur al-Din's, ver: H. Gibb, 'The career of Nur ad-Din', *A History of the Crusades*, vol. 1, ed. K. M. Setton and M. W. Baldwin Philadelphia, 1958), pp. 513-27; N. Elisséeff, *Nur al-Din: um grand prince musulman de Syrie au temps des Croisades*, 3 vols. (Damascus, 1967); Holt, *The Age of the Crusades*, pp. 42-52; Hillenbrand, *The Crusades: Islamic Perspectives*, pp. 117-41.

4. Ibn al-Qalanisi, p. 272; Ibn Jubayr, p. 260. Nos séculos anteriores à era das cruzadas, Alepo foi governada primeiro pelos selêucidas durante o período helenístico (que se seguiu às conquistas de Alexandre, o Grande), e então prosperou durante seis séculos sob os romanos antes de passar para os árabes em 637 d.C., assumindo uma espécie de papel secundário com relação a Damasco. Os destinos da cidade foram rejuvenescidos sob a dinastia iraquiana dos hamadânidas e, quando conquistada pelos turcos seljúcidas em 1070, funcionou como bastião da fronteira com Bizâncio.

5. Ibn al-Qalanisi, pp. 274-5; Michael the Syrian, vol. 3, p. 270; Matthew of Edessa, Continuation, pp. 244-5; Ibn al-Athir, vol. 2, p. 8.

6. Ibn al-Athir, vol. 1, p. 350; Ibn al-Qalanisi, pp. 280-81.

7. Ibn al-Qalanisi, pp. 281-2. O estimado historiador alemão Hans Mayer chegou a descrever o ataque a Damasco como "incrivelmente estúpido" e até "ridículo" (Mayer, *The Crusades*, p. 103). Sobre este debate, ver: M. Hoch, *Jerusalem, Damaskus und der Zweite Kreuzzug: Konstitutionelle Krise und äussere Sicherheit des Kreuzfahrerkönigreiches Jerusalem, AD 1126-54* (Frankfurt, 1993); M. Hoch, 'The choice of Damascus as the

objective of the Second Crusade: A re-evaluation', *Autour de la Première Croisade*, ed. M. Balard (Paris, 1996), pp. 359-69; Phillips, *The Second Crusade: Extending the Frontiers of Christendom*, pp. 207-18.

8   Sibt ibn al-Jauzi, p. 62; Ibn al-Athir, vol. 2, p. 22; Ibn al-Qalanisi, p. 286; 'Die Urkunden Konrads III. und seines Sohnes Heinrich', ed. F. Hausmann, *Monumenta Germaniae Historica, Diplomata*, vol. 9 (Vienna, 1969), n. 197, p. 357; Guilherme de Tiro, pp. 760-70; A. Forey, 'The Failure of the Siege of Damascus in 1148', *Journal of Medieval History*, vol. 10 (1984), pp. 13-24; M. Hoch, 'The price of failure: The Second Crusade as a turning point in the history of the Latin East', *The Second Crusade: Scope and Consequences* (Manchester, 2001), pp. 180-200; Phillips, *The Second Crusade: Extending the Frontiers of Christendom*, pp. 218-27.

9   Ibn al-Athir, vol. 2, pp. 39-40; Lilie, *Byzantium and the Crusader States*, pp. 163-4.

10 10. Ibn al-Athir, vol. 2, pp. 1-4, 222-3. Uma fonte que oferece um mínimo de equilíbrio é de autoria de Ibn al-Qalanisi (m. 1160), que escreveu sua *Crônica de Damasco* quando morava nessa cidade durante meados do século XII, mas acabou de escrevê-la sob o governo dos zênguidas. Ibn al-Qalanisi exerceu duas vezes o cargo de *ra'is* – líder cidadãos e chefe da mílicia urbana (Ibn al-Qalanisi, pp. 7-14). Sobre as fontes árabes para este período, ver: F. Gabrieli, 'The Arabic historiography of the crusades', *Historians of the Middle East*, ed. B. Lewis and P. M. Holt (Londres, 1962), pp. 98-107; D. S. Richards, 'Ibn al-Athir and the later parts of the *Kamil*', *Medieval Historical Writing in the Christian and Islamic Worlds*, ed. D. O. Morgan (Londres, 1982), pp. 76-108; A. M. Eddé, 'Claude Cahen et les sources arabes des Croisades', *Arabica*, vol. 43 (1996), pp. 89-97.

11 Para Sir Hamilton Gibb, o renomado erudito britânico, estudioso de história árabe, a mudança ocorreu em 1149. Gibb declarou que esta foi "a virada no conceito (de Nur al-Din) de sua missão e na história da Síria muçulmana. Aos olhos de todo o Islmã ele se tornara o campeão da fé, e agora se propôs conscientemente a cumprir os deveres desse papel" (Gibb, 'The career of Nur ad-Din', p. 515). Uma década depois, em 1967, Nikita Elisséeff publicou uma importante biografia em três volumes do "grande príncipe da Síria", aprimorando esta visão. Elisséeff afirmou que foi só depois de 1154 que Nur al-Din foi realmente movido pela autêntica devoção à *jihad* e um incontido desejo de reconquistar Jerusalém (Elisséeff, *Nur al-Din*, II, p. 426). Em 1991, Michael Köhler adotou um tom menos compreensivo, sugerindo que Nur al-Din nunca se dedicou verdadeiramente à luta pela recuperação da Cidade Santa, mas usou a propaganda pela *jihad* depois de 1157 para amplificar seus objetivos políticos (Köhler, *Allianzen und Verträge*, pp. 239, 277). Sobre esta questão, ver: Hillenbrand, *The Crusades: Islamic Perspectives*, pp. 132-41.

12 Sobre a batalha de Inab, ver: Ibn al-Qalanisi, pp. 288-94; Ibn al-Athir, vol. 2, pp. 31-2; Guilherme de Tiro, pp. 770-74; John Kinnamos, p. 97; Matthew of Edessa, Continuation, p. 357; Michael the Syrian, vol. 3, pp. 288-9; Abu Shama, 'Le Livre des Deux Jardins', *RHC Or.* IV-V, pp. 61-4.

13 Ibn al-Athir, vol. 2, pp. 31-2, 36; Ibn al-Qalanisi, p. 295; Gibb, 'The career of Nur ad-Din', pp. 515-16; Holt, *The Age of the Crusades*, p. 44; Mayer, *The Crusades*, pp. 107-8; Richard, *The Crusades*, p. 171; Jotischky, *Crusading and the Crusader States*, p. 111.

14 O apoiador zênguida Ibn al-Athir mais tarde afirmou que, no início da década de 1150, "Nur al-Din não tinha nenhuma rota para confundir (os francos) porque Damasco era um obstáculo entre (eles)". Temia-se, segundo o cronista, que os francos logo ocupassem a antiga metrópole, pois estavam sugando-a de suas riquezas pela cobrança de um tributo anual que "seus agentes costumavam entrar na cidade para recolher... da população". (Ibn al-Athir, vol. 2, p. 71). Nur al-Din estava muito ciente do poder desses argumentos e se engajou ativamente numa guerra de propaganda contra Damasco, patrocinando a composição de poesia menosprezando a política da cidade de se aliar aos francos. Sobre o Reino de Jerusalém neste período, ver: Mayer, 'Studies in Queen Melisende', pp. 95-183; M. W. Baldwin, 'The atin states under Baldwin III and Amalric I 1143-74', *A History of the Crusades*, vol. 1, ed. K. M. Setton and M. W. Baldwin (Philadelphia, 1958), pp. 528-62.

15 Ibn al-Qalanisi, pp. 296-327. Elisséeff repete a ideia de que Nur al-Din priorizou a guerra santa depois da ocupação de Damasco, afirmando que depois de 1154 o emir agiu exclusivamente "em nome da *jihad* contra os cruzados e para ajudar a revitalização do Islã sunita" (Elisséeff, *Nur al-Din*, II, p. 426). Hillenbrand, *The Crusades: Islamic Perspectives*, p. 134.

16 Ibn Jubayr, pp. 271-2, 279; R. Burns, *Damascus* (Londres, 2004), p. 169. Damasco desenvolveu-se em torno de um oásis formado por um delta do rio Barada que nasce nas montanhas do Líbano. Os muçulmanos conquistaram a cidade no século VII d.C, durante a primeira onda de expansão árabe-islâmica, e permaneceu como capital do Império Omíada e sede do califado até 750.

17 Ibn al-Qalanisi, p. 340; B. Hamilton, 'The Elephant of Christ: Reynald of Châtillon', *Studies in Church History*, vol. 15 (1978), pp. 97-108.

18 Guilherme de Tiro, pp. 860-61; Phillips, *Defenders of the Holy Land*, pp. 100-39; Lilie, *Byzantium and the Crusader States*, pp. 163-87.

19 Ibn al-Athir, vol. 2, pp. 141-2; Guilherme de Tiro, pp. 873-4.

20 Ibn al-Athir, vol. 2, pp. 146-50; Guilherme de Tiro, pp. 874-7; Cahen, *La Syrie du Nord*, pp. 408-9.

21 Em outros locais de seu reino, Nur al-Din promoveu um programa de construção similar: em 1159 ele patrocinou a construção da the *Madrasa al-Shu'aybiyya* em Alepo, uma das 42 escolas de ensino islâmico construídos na cidade durante seu governo, metade das quais gozava de seu patrocínio pessoal. O púlpito de Nur al-Din sobreviveu intacto por oitocentos anos. Mas em 1969 foi destruído por um incêndio provocado por um fanático australiano. Hillenbrand, *The Crusades: Islamic*

Perspectives, pp. 118-67; D. S. Richards, 'A text of Imad al-Din on twelfth-century Frankish-Muslim relations', *Arabica*, vol. 25 (1978), pp. 202-4; D. S. Richards, 'Imad al-Din al-Isfahani: Administrator, litterateur and historian', *Crusaders and Muslims in Twelfth-Century Syria*, ed. M. Shatzmiller (Leiden, 1993), pp. 133-46; E. Sivan, 'The beginnings of the *Fada'il al-Quds* literature', *Israel Oriental Studies*, vol. 1 (1971), pp. 263-72; E. Sivan, 'Le caractère sacré de Jérusalem dans l'Islam aux XIIe-XIIIe siècles', *Studia Islamica*, vol. 27 (1967), pp. 149-82; N. Elisséeff, 'Les monuments de Nur al-Din', *Bulletin des Études Orientales*, vol. 12 (1949-51), pp. 5-43; N. Elisséeff, 'La titulaire de Nur al-Din d'après ses inscriptions', *Bulletin des Études Orientales*, vol. 14 (1952-4), pp. 155-96; I. Hasson, 'Muslim literature in praise of Jerusalem: *Fada'il Bayt al-Maqdis*', *The Jerusalem Cathedra* (Jerusalem, 1981), pp. 168-84; Y. Tabbaa, 'Monuments with a message: propagation of *jihad* under Nur al-Din', *The Meeting of Two Worlds*, ed. V. P. Goss (Kalamazoo, 1986), pp. 223-40.

22   Ibn al-Qalanisi, p. 303.

23   Guilherme de Tiro, p. 903; Ibn al-Athir, vol. 2, p. 62; C. F. Petry (ed.), *Cambridge History of Egypt: Islamic Egypt, 640-1517* (Cambridge, 1998); Y. Lev, *State and Society in Fatimid Egypt* (Leiden, 1991); Y. Lev, 'Regime, army and society in medieval Egypt, 9th-12th centuries', *War and Society in the Eastern Mediterranean, 7th-15th Centuries*, ed. Y. Lev (Leiden, 1997), pp. 115-52.

24   Ibn al-Athir, vol. 2, p. 138; Guilherme de Tiro, pp. 864-8. Para a perspectiva latina das campanhas egípcias da década de 1160, ver: Mayer, *The Crusades*, pp. 117-22; Phillips, *Defenders of the Holy Land*, pp. 140-67.

25   Guilherme de Tiro, p. 871; Ibn al-Athir, vol. 2, p. 144; M. C. Lyons and D. E. P. Jackson, *Saladin. The Politics of the Holy War* (Cambridge, 1979), pp. 6-9.

26   Ibn al-Athir, vol. 2, pp. 144, 163; Guilherme de Tiro, p. 922; Lyons and Jackson, *Saladin*, pp. 9-25; Smail, *Crusading Warfare*, pp. 183-5.

27   Ibn al-Athir, vol. 2, pp. 175, 177; Lyons and Jackson, *Saladin*, pp. 25-9.

28   Holt, *The Age of the Crusades*, pp. 48-52; Mayer, *The Crusades*, p. 122; Jotischky, *Crusading and the Crusader States*, pp. 115-16; Madden, *The New Concise History of the Crusades*, p. 68. Sobre o governo de Saladino no Egito, ver: Y. Lev, *Saladin in Egypt* (Leiden, 1999); Lyons and Jackson, *Saladin*, pp. 31-69.

29   Esta colorida história é uma bela narrativa e, embora pudesse ser factual, só é registrada por fontes aiúbidas e, assim, permanece não corroborada. É possível que alguns de seus detalhes possam ter sido inventados para justificar uma repressão da corte fatímida. Lyons and Jackson, *Saladin*, pp. 33-4.

30   Ibn al-Athir, vol. 2, p. 180. Sobre as relações do Ultramar com Bizâncio e o Ocidente neste período, ver: J. L. La Monte, 'To What Extent was the Byzantine Emperor the Suzerain of the Latin Crusading States?', *Byzantion*, vol. 7 (1932), pp. 253-64; R. C.

Smail, 'Relations between Latin Syria and theWest, 1149-1187', *Transactions of the Royal Historical Society*, 5th series, vol. 19 (1969), pp. 1-20; Lilie, *Byzantium and the Crusader States*, pp. 198-209; Phillips, *Defenders of the Holy Land*, pp. 168-224.

31 Um cronista árabe sugeriu que al-Adid foi envenenado, mas ainda que Saladino estivesse envolvido na trama da morte oportuna do califa, uma forma mais sutil de assassinato era preferida ao tradicional banho de sangue egípcio. Lyons and Jackson, *Saladin*, pp. 44-8.

32 Lyons and Jackson, *Saladin*, pp. 46-9, 61-5; Ibn al-Athir, vol. 2, pp. 197-200, 213-14.

33 Baha al-Din Ibn Shaddad, *The Rare and Excellent History of Saladin*, trans. D. S. Richards (Aldershot, 2001), p. 49.

34 Ibn al-Athir, vol. 2, pp. 221-2; Guilherme de Tiro, p. 956.

35 Baha al-Din, p. 28; Imad al-Din al-Isfahani, *Conquête de la Syrie et de la Palestine par Saladin*, trans. H. Massé (Paris, 1972); Ibn al-Athir, vol. 2, pp. 223-409; Abu Shama, 'Le Livre des Deux Jardins', IV, p. 159-V, p. 109; Gabrieli, *Arab Historians of the Crusades*, pp. 87-252; Lyons and Jackson, *Saladin*, pp. 435-6. Sobre as fontes para a vida de Saladino, ver: R. Gibb, 'The Arabic sources for the life of Saladin', *Speculum*, vol. 25.1 (1950), pp. 58-74; D. S. Richards, 'A consideration of two sources for the life of Saladin', *Journal of Semitic Studies*, vol. 25 (1980), pp. 46-65. Sobre a carreira de Saladino a partir de 1174, ver: S. Lane-Poole, *Saladin and the Fall of the Kingdom of Jerusalem* (Londres, 1898); H. Gibb, 'Saladin', *A History of the Crusades*, vol. 1, ed. K. M. Setton and M. W. Baldwin (Philadelphia, 1958), pp. 563-89; H. A. R. Gibb, 'The armies of Saladin', *Studies in the Civilization of Islam*, ed. S. J. Shaw and W. R. Polk (Londres, 1962), pp. 74-90; H. A. R. Gibb, 'The Achievement of Saladin', *Studies in the Civilization of Islam*, ed. Shaw and Polk, pp. 91-107; H. A. R. Gibb, *The Life of Saladin* (Oxford, 2006); A. Ehrenkreutz, *Saladin* (Albany, 1972); Lyons and Jackson, *Saladin*, pp. 71-374; H. Möhring, 'Saladins Politik des Heiligen Krieges', *Der Islam*, vol. 61 (1984), pp. 322-6; H. Möhring, *Saladin: The Sultan and His Times 1138-1193*, trans. D. S. Bachrach (Baltimore, 2008); Hillenbrand, *The Crusades: Islamic Perspectives*, pp. 171-95. Sobre a adoção do título de "sultão", ver: P. M. Holt, 'The sultan as idealised ruler: Ayyubid and Mamluk prototypes', *Suleyman the Magnificent and His Age*, ed. M. Kunt and C. Woodhead (Harrow, 1995), pp. 122-37.

36 Lyons and Jackson, *Saladin*, pp. 73-4.

37 Lyons and Jackson, *Saladin*, pp. 79-84; Baha al-Din, p. 51; William of Tyre, p. 968.

38 Lyons and Jackson, *Saladin*, pp. 85-6.

39 A primeira trégua foi aparentemente concluída em segredo com o conde de Trípoli na primavera de 1175 (um pouco antes da primeira batalha contra a coalizão Alepo-Mossul), para prevenir a abertura de uma segunda frente contra os cristãos. Em julho desse mesmo ano, o sultão entrou em um diálogo mais público com um diplomata de alto nível do

Reino de Jerusalém. Sem dúvida, fontes muçulmanas e latinas parecem concordar que Saladino levou a melhor nessas negociações, prometendo libertar alguns prisioneiros francos de Homs em troca da firme garantia de que não haveria mais oposição às suas campanhas contra Alepo. Lyons and Jackson, *Saladin*, pp. 86-110.

40 Guilherme de Tiro, pp. 953-4.

41 Lewis, *The Assassins*, pp. 116-17.

42 Lyons and Jackson, *Saladin*, p. 130; S. B. Edgington, 'The doves of war: the part played by carrier pigeons in the crusades', *Autour de la Première Croisade*, ed. M. Balard (Paris, 1996), pp. 167-76; D. Jacoby, 'The supply of war materials in Egypt in the crusader perid', *Jerusalem Studies in Arabic and Islam*, vol. 25 (2001), pp. 102-32.

43 Guilherme de Tiro, pp. 961-2.

44 B. Hamilton, 'Baldwin the leper as war leader', *From Clermont to Jerusalem*, ed. A. V. Murray (Turnhout, 1998), pp. 119-30; B. Hamilton, *The Leper King and His Heirs: Baldwin IV and the Crusader Kingdom of Jerusalem* (2000).

45 Guilherme de Tiro, p. 961. Piers Mitchell publicou um estudo útil sobre a lepra de Balduíno IV como apêndice à biografia de Bernard Hamilton do rei leproso. (Hamilton, *The Leper King*, pp. 245-58).

46 *Anonymi auctoris Chronicon ad AC 1234 pertinens*, ed. I. B. Chabot, trans. A. Abouna, 2 vols. (Louvain, 1952-74), p. 141.

47 Guilherme de Tiro, p. 991; Ibn al-Athir, vol. 2, p. 253; Baha al-Din, p. 54; Lyons and Jackson, *Saladin*, pp. 121-6; Hamilton, *The Leper King*, pp. 132-6.

48 Lyons and Jackson, *Saladin*, pp. 130-33.

49 A escavação do castelo de Vau de Jacó, trabalho pioneiro do professor Ronnie Ellenblum da Universidade Hebraica de Jerusalém, representa um enorme avanço no campo dos estudos cruzados. Essa escavação oferece uma visão incrivelmente detalhada do mundo cruzado – o equivalente a uma imagem congelada do século XII –, pois o Vau de Jacó é o primeiro castelo a ser descoberta como era em 1179, com sua guarnição assassinada ainda dentro de suas muralhas. Muitas das descobertas físicas e materiais no sítio podem ser datadas com incrível precisão da manhã de quinta-feira, 29 de agosto de 1179, a partir da camada sob os edifícios que foram queimados e desmoronaram quando a fortaleza caiu. De modo um tanto irônico, o fato de que a fortaleza não estava completa na verdade só aumenta seu valor arqueológico, pois o que restou fornece uma visão inestimável das técnicas de construção dos construtores de castelos medievais. Guilherme de Tiro, p. 998; M. Barber, 'Frontier warfare in the Latin kingdom of Jerusalem: the campaign of Jacob's Ford, 1178-9', *The Crusades and Their Sources: Essay Presented to Bernard Hamilton*, ed. J. France and W. G. Zajac (Aldershot, 1998), pp. 9-22; R. Ellenblum, 'Frontier activities: the transformation of a Muslim sacred site into the

Frankish castle of Vadum Jacob', *Crusades*, vol. 2 (2003), pp. 83-97; Hamilton, *The Leper King*, pp. 142-7; Lyons and Jackson, *Saladin*, pp. 133-43.

50   Lilie, *Byzantium and the Crusader States*, pp. 211-30. Não é de surpreender que, dadas as óbvias vantagens da morte de al-Salih para Saladino, alguns rumores circulassem sugerindo que agentes aiúbidas haviam envenenado o herdeiro zênguida. Contudo, a reação inicialmente lenta e relativamente inapta de Saladino à morte de al-Salih (que permitiu que Imad al-Din Zengui assumisse o poder em Alepo) provavelmente indique que o sultão não estava envolvido. Lyons and Jackson, *Saladin*, pp. 143-60.

51   Lyons and Jackson, *Saladin*, pp. 165-70; Hamilton, *The Leper King*, pp. 172-5.

52   Lyons and Jackson, *Saladin*, pp. 170-75; Hamilton, *The Leper King*, pp. 175-7.

53   Guilherme de Tiro, p. 1037.

54   Esta expansão territorial permitiu que Saladino redistribuísse o poder e as responsabilidades em seu reino. Seu irmão al-Adil, que desde 1174 tinha governado o Egito, foi chamado à Síria para tomar posse de Alepo – talvez com a sugestão de que ele pudesse buscar a expansão semi-independente da Jazira. O sobrinho do sultão, Taqi al-Din, foi promovido, assumindo a responsabilidade pela região do Nilo. O outro sobrinho de confiança de Saladino havia morrido por problemas graves de saúde no final de 1187, e foi então substituído em Damasco por Ibn al-Muqqadam. Lyons and Jackson, *Saladin*, p. 202.

55   Já foi comum sugerir que a nobreza latina do Reino de Jerusalém estava, nesta época, dividida em suas facções distintas e em oposição, brigando pelo poder e influência à medida que a saúde de Balduíno IV minguava. De um lado, os "Senhores Nativos", inclusive o conde Raimundo III de Trípoli e os ibelinos, que estavam familiarizados com as realidades políticas e militares da vida no Levante e, portanto, dispostos a adotar uma atitude cautelosa em suas negociações com Saladino e o Islã; e, de outro lado, o arrivista e agressivo "Partido da Corte", incluindo Guy de Lusignan e Sibila, Agnes e Joscelino de Courtenay e Reinaldo de Châtillon, que supostamente eram recém-chegados obstinados. O problema deste quarto, entusiasticamente apresentado por estudiosos como Steven Runciman na década de 1950, foi que tinha pouca relação com a realidade. A constituição e as políticas dessas "facções" nunca foram bem definidas, assim como os membros do "Partido da Corte" não eram recém-chegados mal-informados – Reynald de Châtillon e os Courtenays, por exemplo, eram figuras bem estabelecidas no Ultramar. Esta imagem tradicional da endêmica facção política na década de 1180 também é suspeita, pois tende, de maneira não crítica, a incorporar as ideias e preconceitos de Guilherme de Tiro, que também estava envolvido nos acontecimentos e era um ardente apoiador de Raimundo de Trípoli. P.W. Edbury, 'Propaganda and Faction in the Kingdom of Jerusalem: The Background to Hattin', in *Crusaders and Muslims in Twelfth-Century Syria*, ed. M. Shatzmiller (1993), pp. 173-89; Hamilton, *The Leper King*, pp. 139-41, 144-5, 149-58.

56 Ernoul, *La Chronique d'Ernoul*, ed. L. de Mas Latrie (Paris, 1871), pp. 69-70; Abu Shama, p. 231; Lyons and Jackson, *Saladin*, pp. 185-8; Hamilton, 'The Elephant of Christ', pp. 103-4; Hamilton, *The Leper King*, pp. 179-85.

57 Estes incluíam Raimundo de Trípoli, que, depois da tentativa de golpe de 1180, havia passado dois anos no condado de Trípoli (efetivamente num estado de exílio da Palestina) antes de se reconciliar com Balduíno IV na primavera de 1182. Guilherme de Tiro, pp. 1048-9; R. C. Smail, 'The predicaments of Guy of Lusignan, 1183-87', *Outremer*, ed. B. Z. Kedar, H. E. Mayer and R. C. Smail (Jerusalem, 1982), pp. 159-76.

58 Guilherme de Tiro, p. 1058.

59 Ibn Jubayr também ofereceu uma descrição detalhada das taxas comerciais impostas por muçulmanos e latinos sobre os comerciantes "estrangeiros". Em circunstâncias normais, os mercados muçulmanos que passavam pela Transjordânia ou Galileia pagavam um pedágio aos francos. Isto levanta possibilidade de que Saladino tivesse por objetivo essas duas regiões, em parte para abri-las ao comércio livre das taxas cristãs. Ibn Jubayr, pp. 300-301.

60 Lyons and Jackson, *Saladin*, pp. 234-9. Segundo Ibn al-Athir (vol. 2, p. 309), Nasir al-Din "bebeu vinho, permitindo-se excessos, e pela manhã estava morto". Alguns relataram – e a responsabilidade por isto é deles – que Saladino contratou um homem chamado al-Nasih, que era de Damasco, para ir até ele, farrear com ele e lhe dar uma bebida envenenada. Pela manhã, al-Nasih não era visto em lugar nenhum.

61 Lyons and Jackson, *Saladin*, pp. 239-41; Ehrenkreutz, *Saladin*, p. 237; Ellenblum, *Crusader Castles and Modern Histories*, pp. 275ff.

62 Guilherme de Tiro, p. 968. Por essa mesma época, Ibn Jubayr (p. 311) aplaudiu "os feitos memoráveis de Saladino nos negócios mundanos e da religião, e seu zelo em lançar a guerra santa contra os inimigos de Deus", observando que "seus esforços pela justiça, e suas posições em defesa das terras islâmicas são numerosos demais para se contar". Esta evidência é significativa porque não foi colorida por eventos posteriores.

63 Lyons and Jackson, *Saladin*, pp. 243-6.

64 P. Balog, *The Coinage of the Ayyubids* (Londres, 1980), p. 77; N. Jaspert, *The Crusades*, p. 73.

65 Ibn al-Athir, vol. 2, p. 320; Hillenbrand, *The Crusades: Islamic Perspectives*, pp. 175-85.

66 Imad al-Din, p. 22; C. P. Melville and M. C. Lyons, 'Saladin's Hattin Letter', *The Horns of Hattin*, ed. B. Z. Kedar (Jerusalem, 1992), pp. 208-12.

67 Imad al-Din, p. 23. Sobre a derrota que Saladino impôs aos francos, ver: *Libellus de expugnatione Terrae Sanctae per Saladinum, Radulphi de ggeshall Chronicon Anglicanum*, ed. J. Stevenson, Rolls Series 66 (Londres, 1875), pp. 209-62. Uma tradução deste texto é encontrada em J. A. Brundage, *The Crusades: A Documentary Survey* (Milwaukee,

1962), pp. 153-63. Sobre a Badtalha de Hattin, ver: Smail, *Crusading Warfare*, pp. 189-97; P. Herde, 'Die Kämpfe bei den Hörnen von Hittin und der Untergang des Kreuzritterheeres', *Römische Quartalschrift für christliche Altertumskunde und Kirchengeschichte*, vol. 61 (1966), pp. 1-50; Lyons and Jackson, *Saladin*, pp. 255-66; B. Z. Kedar, 'The Battle of Hattin revisited', *The Horns of Hattin*, ed. B. Z. Kedar (Jerusalem, 1992), pp. 190-207.

68 Imad al-Din, p. 25. Minha experiência de caminhar por Israel da fronteira libanesa até Jerusalém em julho de 1999 me fez perceber como a água seria vital numa campanha em meados do verão. Meu consumo de água chegou ao extraordinário número de dezesseis litros por dia! Por sorte, pude encher minhas garrafas de água várias vezes – em 1187 os latinos não tiveram tanta sorte.

69 Eracles, 'L'Estoire de Eracles empereur et la conqueste de la Terre d'Outremer', *RHC Occ.* II (Paris, 1859), pp. 62-5; Ibn al-Athir, vol. 2, p. 321; Imad al-Din, p. 26.

70 Imad al-Din, p. 26; Ibn al-Athir, vol. 2, p. 322.

71 Ibn al-Athir, vol. 2, p. 323; Imad al-Din, p. 26.

72 Ibn al-Athir, vol. 2, pp. 323-4. Este famoso episódio foi registrado por numerosos relatos muçulmanos e cristãos, com pequenas variações sobre a atitude de Reinaldo (com algumas fontes ocidentais afirmando que ele permaneceu desafiador até o fim) e se Saladino matou Reinaldo com suas próprias mãos. Por exemplo, ver: Melville and Lyons, 'Saladin's Hattin Letter', p. 212; Imad al-Din, pp. 27-8; Baha al-Din, pp. 74-5; *La Continuation de Guillaume de Tyr (1184-1197)*, ed. M. R. Morgan (Paris, 1982), pp. 55-6.

73 Imad al-Din, pp. 28-9; Ibn al-Athir, vol. 2, p. 324.

74 Imad al-Din, p. 31. Um espetáculo similarmente horrível de carnificina estúpida tinha sido apresentado para o entretenimento de espectadores em 1178. Nessa ocasião o próprio Imad al-Din foi solicitado por Saladino para que participasse de uma execução em massa de cativos cristãos, mas se recusou quando descobriu que a vítima que lhe cabia não passava de um menino. Lyons and Jackson, *Saladin*, pp. 131-2. Melville and Lyons, 'Saladin's Hattin Letter', pp. 210, 212; Z. Gal, 'Saladin's Dome of Victory at the Horns of Hattin', *The Horns of Hattin*, ed. B. Z. Kedar (Jerusalem, 1992), pp. 213-15.

75 'Historia de expeditione Friderici Imperatoris', *Quellen zur Geschichte derKreuzzuges Kaiser Friedrichs I*, ed. A. Chroust, *Monumenta Germaniae Historica: Scriptores rerum Germanicarum in usum scholarum* (Berlim, 1928), pp. 2-4; *La Continuation de Guillaume de Tyr*, pp. 56-8. A imensa riqueza de Acre e as valiosas propriedades foram distribuídas entre três dos mais proeminentes lugares-tenentes de Saladino – al-Afdal, Taqi al-Din e Isa –, embora até Imad al-Din mais tarde admitisse que o sultão poderia ter sido mais bem aconselhado a reter pelo menos parte desse butim para o o seu próprio tesouro. Sobre a estratégia de Saladino depois de Hattin, ver: W. J.

Hamblin, 'Saladin and Muslim military theory', *The Horns of Hattin*, ed. B. Z. Kedar (Jerusalem, 1992), pp. 228-38.

76 Ibn al-Athir, vol. 2, p. 328; Runciman, *A History of the Crusades*, vol. 2, p. 471.

77 Estas ideias grandemente influentes podem ser identificadas em pesquisas mais modernas. Na década de 1950, Hamilton Gibb escreveu que Jerusalém se entregou "segundo termos que confirmaram – se é que a continuação era necessária – da reputação (de Saladino) por sua ilimitada cortesia e generosidade" ('Saladin', p. 586). Por essa mesma época, Steven Runciman – cujo relato em três volumes da cruzada amiúde é marcado pela imprecisão histórica, mas continua a ser amplamente lido – argumentou que o sultão mencionou especificamente os eventos de 1099 em suas negociações. Runciman acrescentou que "Saladino, desde que seu poder fosse reconhecido, estava pronto a ser generoso e desejava que Jerusalém sofresse o menos possível", e o historiador prossegue com o contraste entre os muçulmanos "humanos" e os francos que tinham "chafurdado no sangue de suas vítimas" (*A History of the Crusades*, vol. 2, pp. 465-6). Em 1988, Hans Mayer fez eco a esses sentimentos afirmando que os habitantes de Jerusalém "tinham motivo para agradecer por estarem à mercê de um inimigo misericordioso" (*The Crusades*, pp. 135-6). E Carole Hillenbrand, em seu estudo dos cruzados (que se tornou uma referência) do ponto de vista islâmico (1999), enfatizou a magnanimidade de Saladino, afirmando que para os cronistas muçulmanos "o valor da propaganda da conquista sem derramamento de sangue de Jerusalém por Saladino contou muito mais que a tentação, logo superada, de exigir vingança" (*The Crusades: Islamic Perspectives*, p. 316).

78 Imad al-Din, *Arab Historians of the Crusades*, pp. 156-8. O texto de Massé afirmava neste ponto (p. 46, n. 2) que o relato de Imad al-Din foi replicado por Abu Shama (embora esse não seja o caso) e, portanto, Massé não apresentou essa parte do texto. Por esse motivo, a tradução de Gabrieli foi aqui citada. Baha al-Din, pp. 77-8; Lyons and Jackson, *Saladin*, pp. 273-6; Richard, *The Crusades*, p. 210. As referências ao precedente estabelecido pela Primeira Cruzada aparecem apenas em fontes posteriores: Ibn al-Athir, vol. 2, p. 332; *La Continuation de Guillaume de Tyr*, pp. 66-7.

79 Saladino pode ter buscado a rendição negociada de Jerusalém no início de setembro, enquanto estava ocupado com o cerco de Ascalão, mas os francos recusaram. *La Continuation de Guillaume de Tyr*, pp. 61-3; Lyons and Jackson, *Saladin*, pp. 271-2.

80 Imad al-Din, *Arab Historians of the Crusades*, p. 158; Ibn al-Athir, vol. 2, pp. 333-4. O Hospital de Jerusalém também recebeu permissão para continuar aberto por um ano, para não prejudicar seus pacientes, mas depois desse prazo foi transformado numa escola de lei islâmica. Em resposta à pressão de Isa, Saladino concordou com a permissão para os cristãos "orientais" permanecerem na Cidade Santa se aceitassem a condição de súditos e pagassem um resgate mais a costumeira taxa devida pelos não muçulmanos vivendo sob um governo islâmico.

81 Lyons and Jackson, *Saladin*, pp. 275-6.

82 Hillenbrand, *The Crusades: Islamic Perspectives*, pp. 188-92, 286-91, 298-301, 317-19.

83 Ibn al-Athir, vol. 2, p. 335; Hillenbrand, *The Crusades: Islamic Perspectives*, p. 316.

grupo novo século

Compartilhando propósitos e conectando pessoas
Visite nosso site e fique por dentro dos nossos lançamentos:
www.novoseculo.com.br

<ns

- facebook/novoseculoeditora
- @novoseculoeditora
- @NovoSeculo
- novo século editora

gruponovoseculo.com.br

Edição: 1
Fonte: Arno Pro